JN087250

小説翻訳の真髄を学ぶ

宮脇孝雄の実践翻訳ゼミナール

Takao Miyawaki

THE ART OF TRANSLATING FICTION

宮脇孝雄

【はじめに】

本格的な翻訳学校が初めて日本にできてから、もう半世紀近くになります。今では考えにくいことですが、その頃翻訳関係の編集者からは、さまざまな疑問の声が上がっていました。いわく、小説の翻訳なんて人から教わるものかい？　そもそも翻訳の勉強って何を教えるんだ？

当時のことを思い出すとき、いつも頭に浮かぶのが、

「人は馬を水飲み場に連れて行くことはできるが、無理やり水を飲ませることはできない」

という外国のことわざです。英語では（いろいろヴァリエーションはありますが）、

You may take a horse to the water, but you cannot make him drink.

といいます。

これは、馬にだって意地がある、という意味にも解釈できますが、人にものを教えることの難しさを表す言葉でもあります。

翻訳学校がなかった時代は、海外小説好きが高じて独学で勉強をする人がほとんどでした。そのあと、現役の翻訳家の先生に弟子入りして、編集者を紹介してもらう、という順序になります。先ほどのことわざに絡めると、誰もが「水を飲む気のある馬」だったので、自分から水飲み場に近づいていったのです。編集者は編集者で、新米の翻訳家が一人前になれるように鍛えてくれました。そういう現場には鬼編集長もいましたが、英語の解

釈や訳文に関する指摘は的確で、威張っているだけのことはある、と思い知らされたものです。いわゆるOJT（オン・ザ・ジョブ・トレーニング）、現任訓練というやつをやってもらったわけですね。

現在では、学校で翻訳を学ぶのはごく普通のことになっていて、翻訳のセミナーもよく開かれています。本書は、そんなセミナーを紙上でヴァーチャルに再現してみようという試みです。

翻訳といっても、実務翻訳、映像翻訳、文芸翻訳など、さまざまな形がありますが、翻訳であることは同じでも、それぞれ別のジャンルだと思ったほうがよさそうです。陸上競技でいえば、マラソンや百メートルやハードルがそうで、いずれも駆けっこではあるものの、まったく別の競技ですよね。鍛える筋肉の部位が違いますから、百メートルの選手がマラソンに出場しても勝てるとは思えませんし、マラソンの選手が百メートルを十秒で走れるとも思えません。

実務翻訳の分野では、翻訳ソフトの利用がほぼ常態化しているといいます。使えば使うほどAIがコツを学習してくれて、精度が高くなるそうです。一方、小説の翻訳では、翻訳ソフトを使う人はあまりいません。それどころか、下手な訳文のことを、まるで翻訳ソフトのようだといいます。かように隔たりは大きいのです。

小説の翻訳がほかと違うのはどんなところか？　考えてみると、小説の翻訳者は、常に作者を意識しています。その点が一番の違いではないでしょうか。何かのマニュアルを訳しているとき、これを書いた人はどんな世界観の持ち主だろう、などと考えることはあまりないと思いますが、小説の翻訳者はいつも作者の頭の中を覗こうとしています。そして、その手がかりになるものを文章の端々から探そうとします。いや、文章だけではありません。極端にいえば、原書に掲載されている著者近影を見て何かがひらめくことだってあるのです。

「小説の翻訳なんて簡単だ。英語が読める人なら誰でもできる。読んだら頭の中に日本語が浮かぶでしょ。それを書くだけでいいんですよ」という意見がありますが、それって、活字を通訳するみたいですよね。私がその意見に反対であることはもうおわかりかと思います。

作者の思考の跡を一生懸命たどり、ああでもない、こうでもないといいながら、英語と同等の日本語の表現を模索する――それがこのセミナーの進め方です。最初に掲げてある原文を各自が訳した上でセミナーを受けていただくことをとりあえずの前提にしてありますが、訳さずとも、ざっと読んでおくだけで講義の部分は理解できるはずです。ついでにいえば、これは、原作者の頭の中だけでなく、翻訳者の頭の中も覗けるセミナーでもあります。

さて、準備はよろしいですか。それでは、お連れしましょう、水飲み場に！

宮脇孝雄

【目次】

【第一章】
客観小説の完璧な手法が光る！ 高度なテクニックで緻密に書かれた甘いロマンス小説

It is Called Love ／ by Barbara Cartland
「愛というもの」 バーバラ・カートランド

【第二章】
エンディングをどう読むか？ 文学的ファンタジー作品

The Recording ／ by Gene Wolfe
「録音」 ジーン・ウルフ

【この本について】

――本書の構成と使い方――

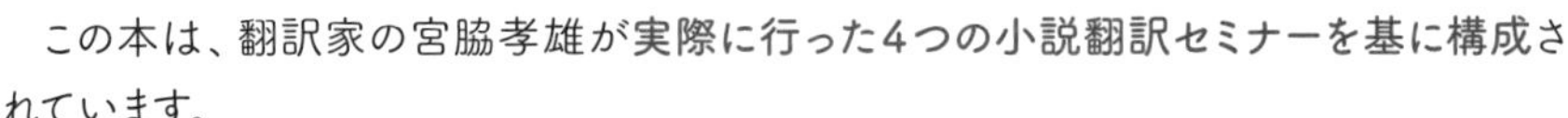

この本は、翻訳家の宮脇孝雄が実際に行った4つの小説翻訳セミナーを基に構成されています。

翻訳家が英語の小説を訳す際に、どんな点に注意を払い、どんな問題にひっかかったり悩んだりするのか、どのように解決していくのか――その思考と作業の流れが語り口調で克明につづられます。

本書を読み進めるうちに小説翻訳の真髄をつかむことができるでしょう。

本書では以下の4篇の小説を取り上げています。
いずれも、表面的な和訳だけでは本質をつかめない、
一筋縄ではいかない作品です。

●客観小説として完璧なロマンス小説●

"It is Called Love"「愛というもの」

by Barbara Cartland（バーバラ・カートランド）

●作者の深い意図が隠されたファンタジー●

"The Recording"「録音」

by Gene Wolfe（ジーン・ウルフ）

●ミステリにしてホラー　複雑な構造の作品●

The Burning Court — Chapter One —『火刑法廷』第一章

by John Dickson Carr（ジョン・ディクスン・カー）

●作者の仕掛けた"答えのない謎"を読む作品●

"The Riddle"「なぞ」

by Walter de la Mare（ウォルター・デラメア）

■ **課題英文**

まずは取り上げた作品を、指示文に従ってひととおり意味を取りながら読んでください。

【課題英文】

次の英文を、「いつの時代か」「誰の視点か」に気をつけながら読んでみましょう。

It is Called Love
by Barbara Cartland

❶ "Please, please Papa, do not make me do this."

"I have told you before, Selina, that I will have no arguments and that you will do as you are told. You are an extremely lucky girl to marry anyone so important as the Marquess."

"But, papa ... he is old, and when he comes ... near me I feel as if there was a ... snake in the room. Please let us ... turn back before it is too ... late."

"I have no intention of doing anything of the sort!" Sir Mallory Westcott said.

■ **「作者はこんな人」「作品の紹介」**

基本情報と翻訳家視点の紹介が盛り込まれたコーナー。作品背景の概要をつかみましょう。

作者はこんな人

Barbara Cartland **バーバラ・カートランド**（1901-2000）
イギリスの作家、脚本家、テレビ・ラジオのパーソナリティー。数多くのロマンス小説を執筆し、1年で最も多く小説を書いたギネス記録を持つ。

宮脇メモ　バーバラ・カートランドは長生きして、ロマンス小説を600冊くらい書いています。ハーレクインの看板作家でした。

日本でいうとデビューしたのが芥川龍之介と同じくらい。そして1990年代まで書いてます。ちょっとした名物おばさんだったようで、テレビにしょっちゅう出ていました。中流階級のお金持ちの出身なんですが、娘がある貴族と結婚し、後妻になりました。貴族階級とも縁ができて、しょっちゅう上流社会の催しにも出ています。

ちなみに娘が嫁いだ家というのはスペンサー伯爵家。つまり娘はダイアナ妃の義理の母親になりました。ダイアナさんはロマンス小説が大好きで、「私の義母のお母さんはバーバラ・カートランドよ」とすごく喜んだというお話も残っています。

作品の紹介

It is Called Love（愛というもの）
イギリスの有名な夕刊紙 *The Evening News* の小説欄に1975年に掲載。同じ趣向の長篇を1952年に発表している（63ページ参照）。

■ **この作品の翻訳ポイント**

課題作品の小説としての技法や特徴について解説します。作品全体の構造、作家独特の表現や手法、物語の「視点」など、作品を深く読み込んで翻訳するためのポイントです。課題作品以外のさまざまな小説の理解にも通じます。翻訳作業に取り掛かる前に必ず一読してください。

【この作品の翻訳ポイント】

翻訳ポイント 1
誰の視点で書かれているかを意識して客観小説を訳してみよう

「小説の文法」を理解しないと小説は訳せない

課題作品は三人称で書かれた"客観小説"です。

最近翻訳セミナーをオンラインで開催することも増えてきたんですが、そうするといろいろな分野のかたが参加されるようになってきました。

その中にはこれまで実務翻訳をやってきて、フィクションの翻訳もやってみたいというかたもいます。英語力はすでにある程度のレベル以上にあるわけですが、ただ、訳すと

■ 実践翻訳ゼミナール
（ブロックごとに翻訳していきます）
原文を読んで自分で翻訳してみてください。（実際に翻訳しないでも、印のついた箇所に留意しながら読んでおけば、以下の講義は理解できます）

【実践翻訳ゼミナール❶】ブロックごとに英文を訳していきましょう。

以下の英文を、色文字（語彙・表現）、下線（翻訳テク／注意！）、網のかかった箇所（翻訳指南）に留意しながら訳してみましょう。

❶ "Please, please Papa, do not make me do this."

"I have told you before, Selina, that I will have no arguments and that you will do as you are told. You are an extremely lucky girl to marry anyone so important as the Marquess."

"But, papa ... he is old, and when he comes ... near me I feel as if there was a ... snake in the room. Please let us ... turn back before it is too ... late."

"I have no intention of doing anything of the sort!" Sir Mallory Westcott said.

He looked at his step-daughter sitting beside him noting that she looked extremely beautiful, if fragile, in her wedding gown. He could ... the Marquess of Chorley desired her.

翻訳家の頭の中の
実況中継の始まりです！

❶ 翻訳スタート！

翻訳スタート
英文を上から順番に訳していきます。

Papaという呼びかけで時代が特定

語彙・表現

Papa：まず、Papaが父親（への呼びかけ）を示すのは19世紀まで。20世紀以降はDadかDaddyが使われます。つまりこのPapaは小説の時代背景を表しているのです。

翻訳テク

Please, please Papa, ～：文頭は語り手を使った形式の小説なら「今は18XX年。一台の馬車が走ってきた」といった感じで始めるところでしょう。しかし客観小説で語り手を排除しているため、それはできません。そこで年代を「**Papa」という呼びかけ**を使って示しています。**これは20世紀の話ではないんだということが一瞬で英語圏の読者にはわかる**仕組みです。

このように客観小説では細かい説明はされず、使われている言葉で状況を示していることが多いのです。どのような言葉が選ばれているか、注意して読む必要があります。

20

翻訳テク
読解および翻訳する上でポイントとなる箇所をピックアップして解説。構文、表現、背景知識、物語の視点、訳語の選び方など、さまざまな観点から優れた訳文作りのためのワザを伝授します。

語彙・表現
訳語選びが難しい単語や熟語等をピックアップして和訳を示したり解説したりします。

【宮脇訳】

「お願い、お願いです、おとうさま。こんなことをわたしにさせないでください」

「しつこいぞ、セリーナ。聞く耳は持たん。おまえはいわれたとおりにすればいいんだ。こんな果報者がどこにいる。侯爵のような偉いおかたと結婚できるんだぞ」

「でも、おとうさま……あのかたはお年を召していて、そばにいらっしゃると、まるで……蛇が部屋に入ってきたみたいなんです。だから、お願い……引き返しましょう……手遅れにならないうちに」

「そんなことができるか！」と、サー・マロリー・ウェストコットはいった。

彼は隣に座っている継娘を見て、ウェディングドレスを身に着けたその姿が、いくぶん華奢ではあるものの、きわめて美しいことを改めて意識した。そして、チョーリーの侯爵に望まれたのも当然だと思った。

宮脇訳

試訳が唯一の正解というわけではありませんが、表現方法や翻訳へのアプローチの仕方を学びましょう。

翻訳でも昔の話であることを示さなくてはなりません。少し、**"時代劇風"に訳すほうがいいでしょう。**つまりPapaは父君とか、お父上といった感じなんです。ただ17歳の女の子のセリフなので少し大げさかと考え、翻訳例では「おとうさま」としました。

翻訳セミナーでこの作品を出題すると、この部分を「お願いパパ」と訳してくる人が圧倒的に多いです。「お願い、パパ」だといつの時代の話かわかりません。というか翻訳している人自体がわかっていない。

少なくともいくぶん時代の色がついた「おとうさま」くらいで訳す必要があります。

注意!

ビギナーが特に間違えやすいポイントを解説します。これもトピックは多岐にわたります。

翻訳指南

長いセンテンスは息継ぎごとに区切って順番に訳す

肺活量の問題!? p.27の補講も参照

I have told you～：以下の文はカンマやthatでつながっています。

こうした長いセンテンスは意味の塊ごとに区切ってほぐしていきます。

イギリス人は呼吸が短く、長いフレーズを一気に話すことができないようで、話す内容を短く区切って、息継ぎをいっぱい入れて話しています。

翻訳指南

課題作品だけにとどまらず、広くどの作品にも応用できそうな汎用性の高い翻訳テクニックや背景知識、心構えなどについて詳しく説明しています。この翻訳指南を通して読むだけでも、翻訳技術のエッセンスが学べます。

補講

翻訳テクニックの解説からさらに発展して、作家や作品、文学史、語学や翻訳についてより本格的に論じたコーナーです。翻訳家の幅広く深い知識や論考に触れることで、小説翻訳への興味がますますかき立てられるでしょう。

補講・イギリス人の肺活量と英語のリズムの関係

英語の文章の翻訳をする上で大切なのが英語のリズムです。

これはイギリス人は息が短いという仮説に基づく話でもあります。

簡単にいうと**イギリス人は肺活量が少ないので、長い文章を一気にしゃべることができないんですね。長いセリフも実は短く区切って、息継ぎがいっぱい入って**います。そして文章もその影響を受け、長い文は息継ぎごとに区切られた言

【 第一章 】

短篇

It is Called Love
愛というもの

by Barbara Cartland
バーバラ・カートランド

客観小説の完璧な手法が光る！
高度なテクニックで緻密に書かれた
甘いロマンス小説

誰の視点で描かれた文章か？
客観小説では
視点人物を理解して訳していこう

難易度

語彙 ★★☆　文章 ★☆☆　背景知識 ★★★

まずは次ページから作品に目を通してください➡➡➡

【課題英文】

次の英文を、「いつの時代か」「誰の視点か」に気をつけながら
読んでみましょう。

It is Called Love

by Barbara Cartland

❶ "Please, please Papa, do not make me do this."

"I have told you before, Selina, that I will have no arguments and that you will do as you are told. You are an extremely lucky girl to marry anyone so important as the Marquess."

"But, papa ... he is old, and when he comes ... near me I feel as if there was a ... snake in the room. Please let us ... turn back before it is too ... late."

"I have no intention of doing anything of the sort!" Sir Mallory Westcott said.

He looked at his step-daughter sitting beside him noting that she looked extremely beautiful, if fragile, in her wedding gown. He could understand why the Marquess of Chorley desired her.

❷ There was silence, then as the coach rumbled on over the rough roads Selina said with a piteous little cry, "I cannot do ... it, Papa! I would rather ... die than marry such a ... man!"

"I thought I had beaten such nonsense out of you," her step-father replied sharply. "Behave yourself! You will marry the Marquess and go down on your knees and thank the Almighty that anyone so unimportant, penniless, and with no assets except a pretty face should have taken his lordship's fancy."

"I cannot! I cannot ... marry him!"

Selina's voice was little above a whisper.

❸ There was a sudden jerk, a cry of alarm, and the coach came to a standstill.

"What the devil is happening?" Sir Mallory exclaimed.

"Stand and deliver!"

There was a masked face at the window and a pistol pointing directly at Sir Mallory's heart.

"God damn you!" the nobleman ejaculated.

"Alight!" a voice replied firmly. "My men wish to look under the floorboards where I am quite certain you keep your valuables."

Cursing, Sir Mallory stepped from the coach and Selina followed him.

"A bride!" the highwayman exclaimed. "This is unexpected!"

"Get on with your thieving, felon!" Sir Mallory snarled. "I will see that for this work you hang on Tyburn Hill."

❹ Selina glanced to where two other masked men were holding up the coachman and the footman on the box. Then because her step-father's oaths disturbed her, she moved away on the mossy ground under the trees.

She wondered desperately if she could run away where no one could find her. The idea of marrying the man her step-father had chosen for her was a horror beyond expression.

He was old and debauched, and even in her innocence she realized that the feelings the Marquess had for her were not those of love but something evil and unspeakable.

There were tears in her eyes and a voice said beside her, "I will not be so ungallant as to ask the bride for her valuables."

She looked up and realized that what she could see of the highwayman's face was young and handsome. In answer she pulled the huge diamond ring from her small finger and held it out to him.

"Take this," she said, "and I hope I ... never see it ... again!"

"You sound as if you were not happy at the idea of your marriage. Who is the lucky man to whom you have promised yourself?"

❺ For a moment Selina hesitated, then he heard the horror in her voice as she said, "The Marquess of Chorley!"

The highwayman stiffened.

"That swine? It cannot be true!"

"It is ... true!" Selina answered. "And I am afraid ... very afraid!"

"It is not surprising!" the highwayman said. "How can your father ..."

"He is not my father!" she interposed. "He is my step-father and he is glad to be rid of me. I think, too, he wishes to please the Marquess."

"You will certainly please him," the highwayman said grimly.

❻ He looked at Selina's large eyes misty with tears, at the trembling of her small mouth, at the delicacy of her heart-shaped face.

"How old are you?" he asked.

"I am seventeen."

"It is unbearable!" he said. "Is there no one who can help you?"

"No one! My mother is ... dead."

He stood looking down at her and as their eyes met instinctively, as if it was an impulse she could not prevent, she put out her hands towards him.

"Save me!" she whispered. "Please ... save me!"

For a moment he was very still.

Then as he would have spoken one of his servants who had been ransacking the coach came to his side.

"There's not much money, m'lord," he said in a low voice, "but plenty of what I think be wedding presents."

"They are," the highwayman said briefly. "Divide the money, Jeeves, between you and Tom for your trouble. Let the gentleman keep the rest and set the horses free. It will take time to catch them."

He turned to Selina.

"You really meant what you asked me? You are prepared to trust yourself to me?"

"I know I can ... trust you," she said softly. "I do not know how I know ... except that you are different ... very different in every way to the Marquess."

"I should hope so."

❼ He gave a low whistle and his horse, which had been cropping the grass under a tree came towards him.

"You are still sure you will not regret coming with me?" he asked.

"I am quite ... sure," she answered, and he saw the light in her eyes.

He lifted her on to his saddle, and as he did so she heard her step-father give a shout of fury, but she did not look back.

The highwayman swung himself up beside her and as he did so he pulled off his mask and flung it into the bushes.

"I have won my wager!" he said. "Sir Mallory has boasted for years that he has never been held up by a highwayman."

"He will never ... forgive you, and he may ... harm you."

"I think it unlikely," the highwayman answered, "although I have robbed him of something very precious!"

For a moment she did not understand. Then as a flush stained her cheeks he rode his horse away into the wood.

"Very precious," he said again, "and I have a feeling it is something I have been looking for a very long time."

"It is ... perhaps what ... I have been wanting ... too," she whispered.

He smiled down at her as he said softly, "I think, in fact I am sure, we have both been seeking the same thing. It is called love!"

作者はこんな人

Barbara Cartland　バーバラ・カートランド（1901-2000）

イギリスの作家、脚本家、テレビ・ラジオのパーソナリティー。数多くのロマンス小説を執筆し、1年で最も多く小説を書いたギネス記録を持つ。

バーバラ・カートランドは長生きして、ロマンス小説を600冊くらい書いています。ハーレクインの看板作家でした。

日本でいうとデビューしたのが芥川龍之介と同じくらい。そして1990年代まで書いてます。ちょっとした名物おばさんだったようで、テレビにしょっちゅう出ていました。中流階級のお金持ちの出身なんですが、娘がある貴族と結婚し、後妻になりました。貴族階級とも縁ができて、しょっちゅう上流社会の催しにも出ています。

ちなみに娘が嫁いだ家というのはスペンサー伯爵家。つまり娘はダイアナ妃の義理の母親になりました。ダイアナさんはロマンス小説が大好きで、「私の義母のお母さんはバーバラ・カートランドよ」とすごく喜んだというお話も残っています。

作品の紹介

It is Called Love（愛というもの）

イギリスの有名な夕刊紙 *The Evening News* の小説欄に1975年に掲載。同じ趣向の長篇を1952年に発表している（63ページ参照）。なおこの小説欄は毎週1本短篇小説が掲載される有名コーナーで、O・ヘンリーの「賢者の贈り物」もここに載った。掲載された小説をまとめた *The Evening News Collection*（1991）という短篇集もある。

課題文は大甘なロマンス物なのですが、それを完璧な客観小説の手法（後述）で書いています。内容と手法のあまりの隔たりに驚嘆します。実に見事に客観小説を書きこなしています。

登場人物の視点のみで語られる客観小説の見事なテクニックを読み解きながら、翻訳をしてみましょう。

【この作品の翻訳ポイント】

翻訳ポイント ①

誰の視点で書かれているかを意識して客観小説を訳してみよう

「小説の文法」を理解しないと小説は訳せない

課題作品は三人称で書かれた“客観小説”です。

最近翻訳セミナーをオンラインで開催することも増えてきたんですが、そうするといろいろな分野のかたが参加されるようになってきました。

その中にはこれまで実務翻訳をやってきて、フィクションの翻訳もやってみたいというかたもいます。英語力はすでにある程度のレベル以上にあるわけですが、ただ、訳すと「小説の翻訳」にならず、壁にぶつかるかたが多い。

それは「小説の文法」を知らずに訳してしまっているから。

小説にはさまざまな決まり事（＝文法）があり、この文法を理解していないと訳しきれないところがあります。

中でも一番大事な文法の一つが今回取り上げる客観小説のスタイルです。

客観小説は「視点人物」が誰かを意識して翻訳する

客観小説は登場人物の視点からのみで描写する、三人称で書かれた小説のスタイルです。

今も小説の基本スタイルとなっています。

客観小説が登場する前は、作者が「全能の語り手」として登場する小説が主流でした。このほか「私」が物語の語り手となる「一人称小説」があります。

客観小説の魅力は、人を複数の登場人物の目から描写できるため、立体的に描ける

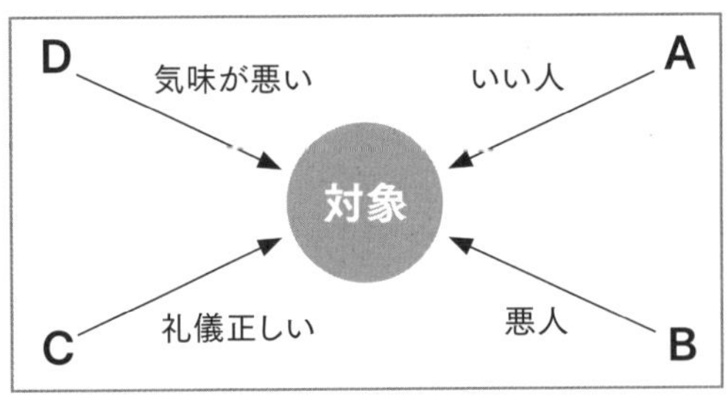

点にあります。ある人物から見れば、とてもいい人でも、別の人物から見ればすごく悪い人である……というように複雑な人物描写ができます。

翻訳する上で重要になってくるのが「視点」です。「この文は誰の目から見た描写か」を理解して、訳していく必要があるのです。最近は「視点」ではなく「ボイス（声）」という言葉を使うことも増えてきましたが、**誰の目を通して見ている情景か（誰の声を通して描写されている情景か）を意識して訳さないといけません。**

誰の視点かを理解しないままで、機械的に英語を日本語に置き換えて訳していくと、のっぺりとした翻訳になり、小説の翻訳になりません。

課題作品の中にも小さなトラップがあり、視点人物が誰かを理解していなかったために誤訳してしまう箇所があります。

全体に視点人物は誰かに注意を払って訳してみてください。

翻訳ポイント ②

長いセンテンスは、意味の塊ごとに区切って順番に訳してみよう

1センテンスが長い英文を訳す際に、後ろから訳して、前につなげる「訳し上げ」をするかたが多いですが、このやり方で長い文章を訳すとからみあったザルソバ状態になって、意味がわかりにくくなりがちです。

コンマや関係詞、接続詞でつながって長くなっている文は、意味の塊ごとに順番に訳すようにしましょう。

だいたい音読する際の息継ぎをする部分で、意味の塊が分かれています。イギリス人はどうも肺活量が少ないようで、けっこう短い言葉で区切ります（27ページ参照）。文章もその影響を受けて、一つの意味の塊はそれほど長くありません。その区切れごとに、日本語にどう訳せばいいか、考えてみてください。

【実践翻訳ゼミナール❶】ブロックごとに英文を訳していきましょう。

以下の英文を、色文字（語彙・表現）、下線（翻訳テク／注意！）、網のかかった箇所（翻訳指南）に留意しながら訳してみましょう。

❶ "Please, please Papa, do not make me do this."

"I have told you before, Selina, that I will have no arguments and that you will do as you are told. You are an extremely lucky girl to marry anyone so important as the Marquess."

"But, papa ... he is old, and when he comes ... near me I feel as if there was a ... snake in the room. Please let us ... turn back before it is too ... late."

"I have no intention of doing anything of the sort!" Sir Mallory Westcott said.

He looked at his step-daughter sitting beside him noting that she looked extremely beautiful, if fragile, in her wedding gown. He could understand why the Marquess of Chorley desired her.

❶ 翻訳スタート！

Papaという呼びかけで時代が特定

語彙・表現

Papa：まず、Papaが父親（への呼びかけ）を示すのは19世紀まで。20世紀以降はDadかDaddyが使われます。つまりこのPapaは小説の時代背景を表しているのです。

翻訳テク

Please, please Papa, ～：文頭は語り手を使った形式の小説なら「今は18XX年。一台の馬車が走ってきた」といった感じで始めるところでしょう。しかし客観小説で語り手を排除しているため、それはできません。そこで年代を**「Papa」という呼びかけ**を使って示しています。**これは20世紀の話ではないんだということが一瞬で英語圏の読者にはわかる**仕組みです。

　このように客観小説では細かい説明はされず、使われている言葉で状況を示していることが多いのです。どのような言葉が選ばれているか、注意して読む必要があります。

【宮脇訳】

「お願い、お願いです、おとうさま。こんなことをわたしにさせないでください」

「しつこいぞ、セリーナ。聞く耳は持たん。おまえはいわれたとおりにすればいいんだ。こんな果報者がどこにいる。侯爵のような偉いおかたと結婚できるんだぞ」

「でも、おとうさま……あのかたはお年を召していて、そばにいらっしゃると、まるで……蛇が部屋に入ってきたみたいなんです。だから、お願い……引き返しましょう……手遅れにならないうちに」

「そんなことができるか！」と、サー・マロリー・ウェストコットはいった。

彼は隣に座っている継娘を見て、ウェディングドレスを身に着けたその姿が、いくぶん華奢ではあるものの、きわめて美しいことを改めて意識した。そして、チョーリーの侯爵に望まれたのも当然だと思った。

翻訳でも昔の話であることを示さなくてはなりません。少し、**"時代劇風"に訳すほうがいいでしょう**。つまりPapaは父君とか、お父上といった感じなんです。ただ17歳の女の子のセリフなので少し大げさかと考え、翻訳例では「おとうさま」としました。

注意!

翻訳セミナーでこの作品を出題すると、この部分を「お願いパパ」と訳してくる人が圧倒的に多いです。「お願い、パパ」だといつの時代の話かわかりません。というか翻訳している人自体がわかっていない。

少なくともいくぶん時代の色がついた「おとうさま」くらいで訳す必要があります。

長いセンテンスは息継ぎごとに区切って順番に訳す

肺活量の問題!? p.27の補講も参照

I have told you ～：以下の文はカンマやthatでつながっています。

こうした長いセンテンスは意味の塊ごとに区切ってほぐしていきます。

イギリス人は呼吸が短く、長いフレーズを一気に話すことができないようで、話す内容を短く区切って、息継ぎをいっぱい入れて話しています。

その影響か、長い文も息継ぎが入るように短く区切って繋げていることが多いのです。ですから、息継ぎが入るところ（意味の塊ごと）で区切って訳すべきなのです。実際イギリス人は、そのようにして内容を理解しています。（27ページ「補講」参照）。

例文を意味の塊ごとに区切ると、3つの部分に分かれます。

I have told you before, Selina, / that I will have no arguments/ and that you will do as you are told.

それぞれを順番に訳してみましょう。

・I have told you before Selina,

「前にいっただろ」という意味です。この人物は高圧的なキャラクターなので、翻訳では「しつこいぞ」としてもいいと思います。このセリフで、主人公の女の子の名前がSelinaということもわかりました。本来はスライナと発音するらしいですが、日本人になじみのあるセリーナと訳しました。ここではセリーナの視点からもう一人の人物が語っている様子が描写されています。

・that I will have no arguments

「反論は受け付けない」という意味です。しかし「反論」という言葉はこの状況とはあまり合いません。**翻訳では同じことを他にどう表現できるかを考えるのが重要な作業**です。ここは「聞く耳は持たん」と訳しました。

・and that you will do as you are told.

「おまえはいわれたとおりにするんだ」という意味です。

かつての英文解釈では、この文は二つのthat以下をまとめて訳し上げて、最初の部分につなげて訳されていました。

「反論は受け付けないし、お前はいわれたとおりにするんだということを前にもいったはずだ」

という感じです。

このように長い英文を訳し上げてしまうと、意味が頭に入ってきませんね。**長い文は息継ぎの部分で内容が切れていると考えて、細かく区切って、順番に訳していく。これは基本的な英語の小説の訳し方です。**このあとも長めな文が続きますが、同じように区切って訳しましょう。

翻訳テク

You are an extremely ～：この文も意味の塊で分けて訳します。つまりYou are an extremely lucky girlとto marry anyone so important as the Marquessに分けて訳しましょう。

語彙・表現

lucky girl：昔のお話に合った訳語を考えましょう。「ラッキーガール」では時代ものにはなりません。たとえば「果報者」といった言葉にすると時代がかってくると思います。
the Marquess：「侯爵」。イギリス人にはおなじみの言葉ですが、日本人にはわかりにくいため、ミスが続出します。

翻訳テク

But, papa ... he is old, ～：続くセリーナのセリフは3点リーダーで区切られていますが、必ずしも意味の区切りではありません。実際の区切りは以下のようになります。
But, papa ... /he is old, /and when he comes ... near me/ I feel as if there was a ... snake in the room.
　ところで意味の区切れと一致しない3点リーダーはなにを意味するのか？この段階ではまだ明らかになっていませんが、二人はでこぼこ道を馬車で移動しています。そのときがたがた揺れるので、変なところに空白が入っていると解釈しました。

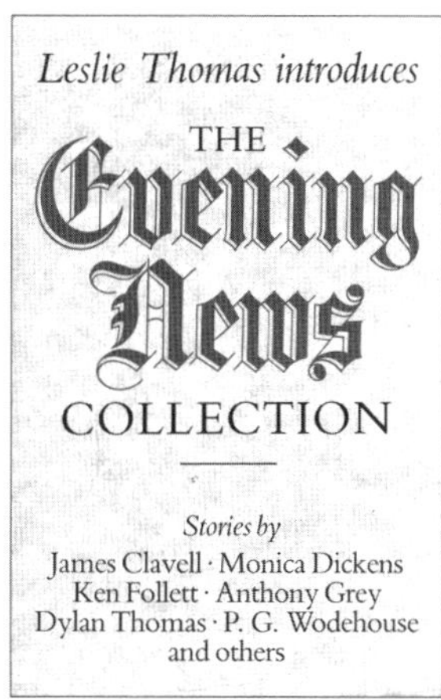

The Evening News Collection
Mark Williams 編 / Chapmans 刊

視点人物の変化に注意　重要ポイント！　視点切り替えを見逃すな

～Sir Mallory Westcott said.

ここでこれまで「パパ」と呼びかけられていた男が「サー・マロリー・ウェストコット」という名前だということがわかります。

そして視点人物もセリーナからサー・マロリーに変わります。

セリーナはこの男のことをパパと呼んでいます。**もしこの文がセリーナの視点で書かれているのであったら、地の文がher fatherなどになるはず**なんです。フルネームで書いているということは、ここからはサー・マロリーの視点になっている。視点が切り替わっていると考えられます。

サー・マロリーの視点で娘の容貌を描写

He looked at his step-daughter：ここも彼の視点による描写です。それがわかるのはhe lookedです。「彼は見た」と書いている。ここから彼の視点だよということになります。

この文で書かれているのはサー・マロリーが隣に座っている義理の娘を見た印象です。セリーナはとても美人だということです。**登場人物Aがどういう人かということはAさん自身には説明できない。**この状況ではサー・マロリーの目から見て説明するしかない。そこでサー・マロリーの視点に切り替えて、どういうふうに見えるかが書かれているのです。

翻訳テク

she looked extremely beautiful：ここはshe was ～にしてもいいところですが、そうすると断定になってしまう。**わざとlookedを使っている**のでしょう。同じ文の中でlookedが2回出てきています。1センテンスで同じ言葉を2回使うのはあまりいい書き方ではないんですけど、ただここでは見かけがどうかというのを書きたいので、あえて使ったんだと思います。

語彙・表現

wedding gown：「ウェディングドレス」。この言葉で一行が結婚式に向かっているところなのがわかります。

the Marquess of Chorley：「チョーリーの侯爵」。チョーリーと読むんだと思うんですけれど、これは地名です。貴族の名前なので、本名は別にあるんですが、タイトル名（爵位名）を通称とする。薩摩守とか肥後守とかというのと同じです。チョーリーの侯爵というわけです。

サー・マロリーの身分は？
イギリスの階級のランクに注意

イギリスの時代ものには欠かせない知識

この作品を理解する上ではイギリスの階級についての知識が必要になります。ここまで出てきたのがMarquess=侯爵、とSirですね。

イギリスの貴族は以下のようにランク付けされます。

Duke（公爵）＞Marquess（侯爵）＞Earl（伯爵）＞Viscount（子爵）＞Baron（男爵）

イギリス貴族は昔から今にいたるまでこの5つの階級しかありません。

日本も明治時代にこの階級制度をそのまま輸入したのでした。

貴族の称号は公爵以外はLord＝ロード・卿を使います。一般人がミスターと呼ばれるような状況でロードと呼ばれます。**侯爵はそのままDuke（デューク）**が用いられます。

このほか、イギリスでは貴族に準ずる以下の二つの身分があります。

Baronet（準男爵）＞Knight（ナイト）

こちらの称号は**Sir＝サー**なんですね。

ですから、サー・マロリーは「貴族未満のお金持ち」ということになります。準男爵かナイトかどちらかでしょう。

サー・マロリーという称号つきの名前が登場したところで、イギリスの読者には物語の状況がすぐに伝わるはずです。

つまり「貴族になりたがっている貴族に準ずる身分の男が美人の娘を、年取った侯爵に人身御供に差し出して引き立ててもらおうとしている」ということです。それをサー・マロリーという呼称を出しただけでわからせています。

ですから、翻訳する際にもここはきちんとサー・マロリーと訳さないといけないところです。サー・マロリーをマロリー卿と訳すと貴族になってしまいます。

ロードと呼びかけられるのは貴族階級だというのがわかっていないと話の根本的な部分がわからなくなってしまうということになります。

実をいいますと、ロードとサーの訳し分け、昔の翻訳者は全然やってませんでした。

どっちも「卿」と訳してましたし、辞書にもサーを引くと「卿」とするものもありました。ごっちゃになっていたんですが、今はちゃんと区別するようになってきました。卿が使えるのはロードだけ。下はサーにしようということになっています。

◆英国貴族の種類と称号

身分	日本語訳	称号
Duke	公爵	Duke（デューク）
Marquess	侯爵	Lord（ロード・卿）
Earl	伯爵	
Viscount	子爵	
Baron	男爵	

◆英国貴族に準ずる身分の種類と称号

身分	日本語訳	称号
Baronet	準男爵	Sir（サー）
Knight	ナイト	

なおイギリスの貴族について、ちょっと資料が古いのですが、1988年に日本版が出た『英国を知る辞典』（研究社）によると、公爵は26人、侯爵は36人、伯爵192人、子爵126人、男爵482人とあります。非常に限られた人たちです。

Duke の中にはロイヤル・デュークという種類があります。王室関連の人物。たとえばエリザベス女王の夫の故フィリップ殿下の称号はデュークです。

まとめ

小説の始まりは二人の人物の会話から始まっています。会話と登場人物から見た描写で話を進めていく書き方が客観小説の特徴です。会話を通して明らかになったのはセリーナという女の子が年寄りの伯爵と結婚させられようとしていることですね。

イギリス人の肺活量と英語のリズムの関係

英語の文章の翻訳をする上で大切なのが英語のリズムです。

これはイギリス人は息が短いという仮説に基づく話でもあります。

簡単にいうと**イギリス人は肺活量が少ないので、長い文章を一気にしゃべることができないんですね。長いセリフも実は短く区切って、息継ぎがいっぱい入っています。そして文章もその影響を受け、長い文は息継ぎごとに区切られた言葉がつながっています。**これを日本語のスタイルに合わせて長い一文として訳し上げていくととてもわかりにくいものになってしまいます。

欧米の詩は6音歩が基本だが、イギリスは5音歩に

詩の話をしましょう。

日本語の詩は文字の（音）数でリズムを作ります。五・七・五・七・七という感じですね。

英語（やヨーロッパの言語）の場合は少し複雑で、母音と子音の価値が違うので、イギリスの詩は主に、弱＋強（または強＋弱）で一つのリズムとして「foot（フット）」といいます。弱強・弱強（強弱・強弱）のリズムは歩くときの足音に似ているから「フット」というそうです。

1行の詩にいくつフットが入っているかというと、一般的なのがフットが6つ入っている「6音歩（ヘクサメーター）」です。

欧米では詩として一番格調が高いスタイルとされています。

なぜかというと、ギリシアの古典詩人、ホメロスが使ったからです。

古典叙事詩人ホメロスが使ったリズムなので、これが一番いいと（ヨーロッパでは）いわれてきました。フランス人もヘクサメーターのリズムで詩を書きます。「アレクサンドラン」と呼ばれて普通に使っています。

イギリス人ももともとはヘクサメーターで詩を書こうとしたんです。書こうとしたんですけど、あまり書けなかったんですね。**息が続かなかったんです。読む人が六音歩では息切れして5つまでしか読めなかった。**

だからイギリスでは5音歩になってしまいました。ペンタメーターといいます。

本当は6音歩を書きたかったんですが、イギリス人には無理ということがわかったので、一つ減らして5でいくことになった。

「五音歩」の代表といえばシェイクスピアです。シェイクスピアは詩も芝居もおおむね五音歩で書いています。芝居は人が発音するのを前提にしてセリフを

書いていますが、役者がセリフをいうのに五音歩が一番読みやすいんですね。

シェイクスピアのソネットも以下のように全部五音歩になってきます。

Shall I com**pare** thee **to** a **sum**mer's **day**? (William Shakespeare, Sonnet 18)

たとえようか、きみを夏の一日に。

イギリスの詩のリズムではほかに、7音歩（ヘプタメーター）があります。6音歩もしゃべらない人が7音歩もしゃべれるわけがないので、すぐに廃れ、4音歩と3音歩に分割されました。7音歩1行だったのを、4音歩と3音歩の2行にした。そうすると読めるんですね。**4音歩、3音歩と1行ごとにくるやつを「バラッド調」といいます。これはイギリス人が一番好きなリズム**といわれています。

有名な唱歌はみんなこれです。「だーれかさんと、だれーかさんが麦ばたけ」もそうです。

Gin a body meet a body
誰かと誰かが待ち合わせ、

Comin thro' the **rye**,
ライ麦畑で会ったとき、

Gin a body kiss a body,
誰かが誰かにキスしても、

Need a body **cry**?
泣かなくたっていいんだよ。

最初（1行目、3行目）が4音歩、2行目、4行目が3音歩となります。

韻を踏んでいるのはryeとcryだけ。もともとは7音歩でryeとcryが韻を踏む2行の詩だったんです。バラッドでは、1行おきに韻を踏む形になっちゃっています。

こういうのがイギリスのリズムでして。ほかのヨーロッパの国より短い。

イタリアとかドイツは長いんです。イタリアのソネットとかはでっかい声で朗々となが一いセリフを一息でいっちゃいます。

なぜイギリス人の肺活量が小さいのか？

肺活量の小ささの原因ははっきり解明されているわけではありませんが、イギリスは北国で、息をあまり出すと寒くなるので、ぼそぼそ話す感じになってしまうのかもしれません。

イギリスのパブも静かですよ。あまり静かなので、パブにはある風習というかルールがありまして。ボックス席にいるときは黙っていてもいいけれど、せめてカウンターにいるときは話をしなくてはいけないという。今はどうか知りませんが、イギリスのパブに80年代、90年代に行くと、日本の飲食店と同じつもりで席についても注文を取りに来ない。自分でカウンターに行って注文しないといけない。せめてカウンターに行って注文するときくらいはしゃべりなさいという、そういう規則がある。

で、何をいいたいかというと、**イギリスの文章は長文に見えても、息継ぎが必ず入っている**ということです。息継ぎのタイミングごとに内容が一かたまりになっている。

息継ぎごとに必ず切って、その順番に訳しましょうということです。

★欧米のリズム

六音歩（ヘクサメーター）

ギリシャの古典叙事詩（ホメロスなど）で使われたリズム。
フランスの詩でも一般的に使われる。

★イギリス特有のリズム

五音歩（ペンタメーター）

イギリスではヘクサメーターより一音歩少ない五音歩が定着。

四音歩＋三音歩（バラッド調）

七音歩（ヘプタメーター）を二つに分割したイギリス人が最も好むとされるリズム。

参考文献：『二都詩問』（福原麟太郎、吉川幸次郎共著　新潮社）

【実践翻訳ゼミナール❷】

以下の英文を、色文字（語彙・表現）、下線（翻訳テク／注意！）、網のかかった箇所（翻訳指南）に留意しながら訳してみましょう。

❷ There was silence, then as the coach rumbled on over the rough roads Selina said with a piteous little cry, "I cannot do ... it, Papa! I would rather ... die than marry such a ... man!"

"I thought I had beaten such nonsense out of you," her step-father replied sharply. "Behave yourself! You will marry the Marquess and go down on your knees and thank the Almighty that anyone so unimportant, penniless, and with no assets except a pretty face should have taken his lordship's fancy."

"I cannot! I cannot ... marry him!"

Selina's voice was little above a whisper.

小説では段落ごとに視点を確認すべし

翻訳テク

視点人物がしょっちゅう変わることに注意してください。

三人称多視点の小説では段落ごとに視点が変わることが多いですね。

新しい段落になるごとに「ここは誰の視点で書いたんだろう」と確認しながら、訳していかなくてはなりません。

実務翻訳だとそういう必要はありません。段落ごとに「これは誰の視点だろうか」「このマニュアルは誰の視点で書いているか」などと考える必要はないのです。

しかし小説の翻訳は、それが一番大事なところとなります。**誰の視点で書いているかを理解して訳していかなくてはならないのです。**

語彙・表現

coach：「馬車」。現代ではコーチというと長距離バスを意味しますが、**19世紀以前の話**であることが最初から明らかなので**これは馬車**だとわかります。馬車は馬が何頭で引いているか、車輪がいくつあるかでいろいろな種類がある。コーチは大型の四輪馬車です。ですからここでは「四輪馬

【宮脇訳】

沈黙があり、荒れた街道をがたごと走りつづける四輪馬車の中で、やがてセリーナは哀れな声を上げた。「わたし……そんなことできません！　死んだほうがましです……あのかたと……結婚するくらいなら！」

「まただたかれたいのか、馬鹿なことを抜かしおって」セリーナの継父は吐き捨てるようにいった。「いいかげんに目を覚ませ！　おまえは侯爵と結婚するんだ。神の前にひざまずいて感謝するがいい。おまえのような下賤の生まれの、金も資産もない、ちょっと可愛いだけの小娘が、侯爵に気に入られたことをな！」

「できません！　あのかたと……結婚するなんて！」

セリーナは消え入るような声を出した。

車」と訳したい。

rumbled：「がたごと走っていた」様子を表しています。

rough roads：「舗装されていないでこぼこの道」。これが英文の会話中の３点リーダーにつながります。

客観小説は、読者を巻き込みサスペンスを高める

翻訳テク

then as the coach rumbled on：ここで初めて二人が馬車に乗っていることがわかります。

❶でも述べましたが、もし全能の語り手を使った小説なら、冒頭に「荒れた街道をがたごと走り続ける一台の四輪馬車があった」と書き出すところでしょう。

客観小説なのでそれをやらずにここでやっと説明する。**少しずつ状況が明らかになっていく書き方です。これはサスペンスを高める手法で、読者を巻き込むことができます。**

最初からわかっていれば読者は読み飛ばしますが、わからないので「どういう状況なんだろう？」と思いながら読んでいく。やっとここで二人は馬車に乗っているんだということを明らかにしたわけです。読者を引き込むためにこういう書き方をしているのです。

語彙・表現

piteous little cry：「哀れな声」と訳してみました。

翻訳テク

I cannot do ... ～：再び3点リーダーが登場します。道ががたがたなことを表現しているのでしょうが、ここは意味の区切れと合っているので、3点リーダーを生かしながら、訳していきましょう。

動詞を変えて違うニュアンスを出す ◀ talk → beat でリアルな表現に

I thought I had beaten such nonsense out of you：このサー・マロリーのセリフは小説の訳し方に慣れていない人は、何気なく訳すところだと思いますが、この英文にはさりげなく表現上のテクニックが使われています。翻訳でもその表現を生かさなくてはなりません。

直訳すると「私はお前の中からそういうたわごとをたたき出したと思っていた」という意味の一文です。

動詞に beat を使っているのが注目点です。普通はここでは talk を使うでしょう。**I had talked ～として、「じっくり話し合って、そんなばかげた考えを追い出した」といういい方**になります。英語の特徴として、**動詞を変えることでいろいろなニュアンス**が出せます。

talk の代わりによく使われるのが、coax＝なだめるという言葉です。下手に出て話すことです。**coax such nonsense out of you といえば、なだめてそういう考えをあきらめさせた、追い出した**ということになります。「お前の気持ちもわかるけれど、どうかそういう考えはやめてくれ」というようなニュアンスになります。

さてサー・マロリーは beat を使っています。わざときつい言葉を使っていると考えられます。たたく。文字通りたたき出したということですね。サー・マロリーの性格からすると、実際にひっぱたいたのではないかとも考えられます。

「ひっぱたいて、お前の中から、そのナンセンスをたたき出した」と強く解釈すべきところだと考えました。

そこでちょっと調子に乗って「バカなことをぬかしおって、またたたかれたいのか」と訳すとキャラクターにも合っていて、時代もの的な感じも出るので面白いかなと思いました。

翻訳テク

her step-father：視点人物が変化。サー・マロリーの呼び方が **her step-father に変わり、視点がセリーナに切り替わった**描写となったことが示されています。もしサー・マロリーの視点の文なら主語は、「彼は」もしくは「サー・マロリーは」となるはずです。

注意!

sharply：sharplyは機械的に「鋭く」と訳す人が多いのですが、**副詞は状況に合わせて適切な訳語**を考えましょう。ここでは「吐き捨てるように」が合っていると考えました。

翻訳テク

Behave yourself!：「行儀よくしろ」「ちゃんとしろ」といった意味。父親のセリフなので「いいかげんに目をさませ」といった感じで訳すこともできると思います。

翻訳テク

and go down on ～：以下はコンマとandで長く続いていきますが、ここも次のように**息継ぎ（意味の塊）ごとに区切って訳しましょう。**

and go down on your knees and thank the Almighty / that anyone so unimportant, / penniless, and with no assets / except a pretty face / should have taken his lordship's fancy

注意!

and go down以下は、「お前のような下賤の生まれの顔が可愛い以外は金も資産もない娘が侯爵に気に入られたことを神の前にひざまずいて感謝するがいい」というように**後ろから訳し上げないように**。迫力がなく、効果も弱くなります。一つの文にせずに区切った順番に塊ごと訳していきましょう。except a pretty faceは「ちょっと可愛いだけの」と訳してみました。

語彙・表現

unimportant：❶で侯爵がimportantと形容され、その逆の意味となるので、「下賤」といった訳がよいでしょう。

take ～'s fancy：「～に気に入られる」の意味の慣用句です。

翻訳テク

little above a whisper：直接的に訳すと「小さなささやきのような声」ですが、このようなときに日本語ではどのように表現するか考えてみましょう。本当は「蚊の鳴くような」がぴったり合いそうに思いましたが、状況的にはあまり合わないと判断し「消え入りそうな」と訳しました。

まとめ

視点人物が細かく変わる文が続く中、サー・マロリーとセリーナが馬車に乗っていることや、サー・マロリーはセリーナの継父であることなどが、少しずつ明らかになっていきます。

【実践翻訳ゼミナール❸】

以下の英文を、色文字（語彙・表現）、下線（翻訳テク／注意！）、網のかかった箇所（翻訳指南）に留意しながら訳してみましょう。

❸ There was a sudden jerk, a cry of alarm, and the coach came to a standstill.

"What the devil is happening?" Sir Mallory exclaimed.

"Stand and deliver!"

There was a masked face at the window and a pistol pointing directly at Sir Mallory's heart.

"God damn you!" the nobleman ejaculated.

"Alight!" a voice replied firmly. "My men wish to look under the floorboards where I am quite certain you keep your valuables."

Cursing, Sir Mallory stepped from the coach and Selina followed him.

"A bride!" the highwayman exclaimed. "This is unexpected!"

"Get on with your thieving, felon!" Sir Mallory snarled. "I will see that for this work you hang on Tyburn Hill."

❸ 翻訳スタート！

不定冠詞にも気を配り、視点にも引き続き留意

翻訳テク

There was a sudden jerk, a cry of alarm, and the coach came to a standstill.：a sudden jerkのaをちゃんと訳すようにしましょう。馬車は一回だけ揺れたのです。

この文は誰の視点の表現か、判断がちょっと難しいところです。叫び声を聞いたのは誰か。その前のところがセリーナの視点なので、ここもセリーノの感じたこと、視点だと思えばいいのだと解釈しました。

その後、サー・マロリーのセリフに入り、しばらくはサー・マロリーの視点になります。

語彙・表現

Stand and deliver!：強盗や追いはぎの決まり文句です。「手を挙げろ」。あるいは「有り金を出せ」とか「有り金残らず頂戴する」といった意味

【宮脇訳】

そのとき、馬車が急にひと揺れし、叫び声が上がって、動かなくなった。

「いったい何事だ！」サー・マロリーは声を荒らげた。

「有り金残らず頂戴する」

窓際に覆面をした顔があり、ピストルがサー・マロリーの心臓をぴたりと狙っていた。

「このくそったれめが！」と、上流階級の男は口走った。

「降りるんだ！」応じた声は、断固たる調子だった。「仲間が床下を見たがっている。貴重品はそちらに置いてあるはずだ」

悪態をつきながらサー・マロリーは馬車を降り、セリーナもそれに続いた。

「花嫁か！」と、追いはぎは叫んだ。「こりゃ驚いたな！」

「盗みたければ盗むがいい、この悪党め！」サー・マロリーは怒鳴り飛ばした。「代わりにこの一件で貴様がタイバーン・ヒルの絞首台に吊されるのを見届けてやる」

になります。

God damnは本当に禁句だった

翻訳テク

"God damn you!" the nobleman ejaculated.：皮肉を効かせて書いているところです。God dam は今ではもう誰もがいうような言葉ですが、昔の貴族や上流階級の人間は絶対に口にしない言葉でした。

nobleman の訳し方ですが、サー・マロリーは貴族ではないので「上流階級の男」くらいの意味で訳せばいいでしょう。

階級は高くサーと呼ばれているけれど、育ちが卑しいのか、しょっちゅうこうした汚い言葉を使う男として描かれています。

ちなみになぜ、God damn が使ってはいけない言葉とされてきたのでしょうか？

それは旧約聖書の十戒や申命記に「神の名をみだりに唱えてはならぬ」と書かれているからです。このため、18世紀、19世紀頃まではGodという言葉を使うのは誰もが避けていました。**その時代設定の中では絶対いっ**

てはいけない言葉をサー・マロリーは口にしているのです。今でも“Oh, my God!”の意味で“Oh, my!”という人がいますが、Godを省いているわけです。

語彙・表現

alight：「降りる」。古語的な言葉でget downの意味です。

翻訳テク

“Alight!” a voice replied firmly.：この文もサー・マロリーの視点が続いていると考えました。「声」が主語の文で、「『降りろ』と声が断固として答えた」という意味になります。

翻訳では、**「声が答えた」という日本語表現は避けたかった**ので、「声は断固たる調子だった」としました。

語彙・表現

my men：ここでは「仲間」の意味です。

注意!

“My men wish to look under the floorboards where I am quite certain you keep your valuables.”：この文も**息継ぎが入っていると思って訳す**べきです。

where以下から訳し始めて「貴重品を保管してあるはずの床の下を見たい」とする人が多いですが、息が長すぎ、意味も取りにくくなります。

whereの前で息継ぎをし、「仲間が床下を見たがっている。貴重品がそこにおいてあるはずだ」と区切って、順番に訳すのがポイントとなります。

語彙・表現

cursing：「悪態をつく」。God damnと同じような悪態をつきながら馬車から降りたと想像されます。
highwayman：「追いはぎ」です。

「追いはぎ」が登場するときはセリーナかマロリーの視点

翻訳テク

“A bride!” the highwayman exclaimed.：ここでは追いはぎが主語になっています。実はこの男、追いはぎではなくて貴族の息子だということが、先を読んでいくとわかります。つまり**彼を追いはぎと思っているのはセリーナかマロリー**ということになり、ここはどちらかの視点で書いてあることになるのです。このあとマロリーがひと言いうので、ここでもマロリーの視点から書いてあると考えていいでしょう。

なお、追いはぎ本人（実は貴族の息子）の視点から書いてある部分ではhighwaymanが主語にはなっていません。そのあたりも注意して読んでいきましょう。

翻訳テク

Get on with your thieving：「お前の盗みを続けろ」という意味。ここは**セリフらしく**「盗みたければ盗むがいい、この悪党め」と訳しました。

語彙・表現

felon：悪党

翻訳テク

Tyburn Hill：18世紀のイギリスにあった処刑場。18世紀末くらいまで存在しました。ネットで調べてみてください。Tyburn Hillとこれまでの話を総合すると、この小説が19世紀寸前のジョージ王朝時代のイギリスを舞台にしているのであろうということが明らかになります。

なお日本人にタイバーン・ヒルといってもわからないので、**「タイバーン・ヒルの絞首台」というように少し説明的に訳す**必要があります。

まとめ

あらたな登場人物「追いはぎ」が現れ、物語が動き始めました。誰の視点からの表現かを理解して訳していきましょう。サー・マロリーの下品な人物像が描写されているところも読みどころです。

補講 客観小説はミステリを中心に広がった

客観小説は19世紀の後半にフランス人が考えたものだとされています。ひと言でいうと「**登場人物の目だけを通して描写する**」**という小説の書き方、小説の文法**です。

19世紀はもともとディケンズやドストエフスキーの小説が人気を博していました。こちらの小説のスタイルは、読めばわかりますけど、小説の中に作者とおぼしき人物がときどき顔を出してきて、意見を述べたりしています。この点はディケンズもドストエフスキーの小説も同じような感じです。

これに対して、作者が登場することを排除してすべて登場人物を通してのみ描く「客観小説」のスタイルが登場したのは18ページの「翻訳ポイント」で説明したとおりです。

ミステリで特に流行った客観小説

客観小説は特に第二次大戦が始まる30年代後半、40年代くらいまでとても流行りました。

バーバラ・カートランドは芥川龍之介と同じ頃にデビューしていますが、その時代のヨーロッパでは客観小説がもてはやされていました。

彼女はそのスタイルの特性を見事に使って、サスペンスを盛り上げて書いています。

客観小説には特にミステリ作家が飛びつきました。ミステリを書くにはこの書き方がいろいろ便利だからです。

作者が登場する「全能の語り手」はとても便利な存在です。未来のことまでわかっていますから。太郎さんと花子さんがつきあっていて、太郎さんが上京するので駅まで送りにいったという場面があったとすると、全能の語り手が出てきて「これが永久の別れになるとは二人はどちらも気がついていなかった」と書くことができます。

ただし**全能の語り手には「嘘をつけない」という欠点があります**。全部わかっているから、本当のことしかいえない。

ミステリでは警官と思っていた男が実は偽物だったという展開がよくあります。偽警官が初めて登場する場面で、全能の語り手が「そのときドアが開いて警官が入ってきた」と書くわけにはいかない。

しかし、登場人物の一人の目から見た表現なら次のように書けます。

〈ドアが開く音がした。メアリーはそちらを見た。すると中年男が入ってきた。中年男のところにメアリーが行くと、男は名刺を差し出した。名刺には「刑事」と書いてあった〉

そこまで書いてから

〈「ああ、刑事さん、お待ちしていました」とメアリーはいった〉

このように書けば読者も騙されます。あとでそれが本当の刑事ではないことがわかっても、それはメアリーの視点で書いているので語り手は嘘をついていないことになる。**ミステリにはとても有効な書き方**なのです。

ミステリを中心に一時期大流行した客観小説は、今も基本的な小説のスタイルですが、欠点もあります。小説内のことをすべて登場人物の視点だけで描写するとなると、物語が窮屈になってしまうんですね。そのため、語り手の存在が見直され、「語り手（というキャラクター）がときどき登場する客観小説」という様式で小説を書く作家も増えてきました。この件については3章の「補講」（145ページ）で触れています。

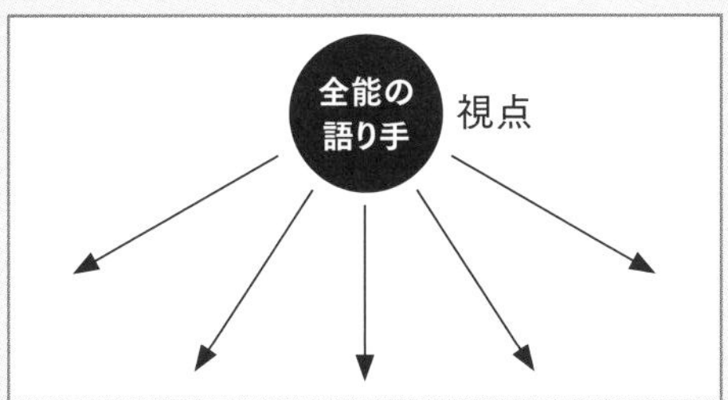

客観小説とは大違い：こちらはすべてを心得た「全能の語り手」の視点。人物、風景、出来事などすべての事象を把握し、描写する

【実践翻訳ゼミナール❹】

以下の英文を、色文字（語彙・表現）、下線（翻訳テク／注意！）、網のかかった箇所（翻訳指南）に留意しながら訳してみましょう。

❹ Selina glanced to where two other masked men were holding up the coachman and the footman on the box. Then because her step-father's oaths disturbed her, she moved away on the mossy ground under the trees.

She wondered desperately if she could run away where no one could find her. The idea of marrying the man her step-father had chosen for her was a horror beyond expression.

He was old and debauched, and even in her innocence she realized that the feelings the Marquess had for her were not those of love but something evil and unspeakable.

There were tears in her eyes and a voice said beside her, "I will not be so ungallant as to ask the bride for her valuables."

She looked up and realized that what she could see of the highwayman's face was young and handsome. In answer she pulled the huge diamond ring from her small finger and held it out to him.

"Take this," she said, "and I hope I ... never see it ... again!"

"You sound as if you were not happy at the idea of your marriage. Who is the lucky man to whom you have promised yourself?"

❹ 翻訳スタート！

ここからはセリーナ視点

翻訳テク

Selina glanced to where two other masked men were holding up the coachman and the footman on the box.：ここからは少し離れたところにいるセリーナの視点、**彼女の目に映ったものが描写**されていきます。マスクを着けた人物がほかに二人いて、御者と従僕にピストルを突きつけているのを見るわけですね。holding up は西部劇と同じでピストルを突きつけている状態です。

【宮脇訳】

セリーナは少し離れたところに目をやり、同じく覆面をしたほかの二人が御者台の御者と従僕にピストルを突きつけているのを見た。そのあと、継父の口汚い言葉に心を乱されて、木々の下の苔むした場所へと身を寄せた。

できることなら、誰にも見つからないところに逃げていきたい、と絶望の中でセリーナは思った。おとうさまの選んだあのかたと結婚するなんて、考えただけでぞっとする。

侯爵は老いた放蕩者で、世間知らずのセリーナでも、侯爵が彼女に抱いているのは愛ではなく、口にするのも汚らわしい邪悪な感情であることに気がついていた。

彼女の目に涙が浮かんだとき、すぐそばで声がした。「花嫁の大事な品を奪うようなまねはしないから安心しろ」

声の主を見上げ、覆面に覆われていない顔の一部を目にしたとき、セリーナは初めて追いはぎが若くてハンサムだということに気がついた。その言葉に、彼女は大きなダイヤモンドの指輪を細い指から抜き取ると、相手に差し出した。

「これを持っていってください」と、セリーナはいった。「こんなもの……もう二度と……見たくありません！」

「その口振りだと、まるで結婚するのが嬉しくないみたいじゃないか。きみと結婚できる幸運な男は誰なんだ」

語彙・表現

coachman：御者
footman：従者
box：「馬車の御者がいるところ」「御者台」。御者の席に御者、助手席に従僕がいます。
oaths：悪態
disturbed：悩まされて、心乱されて

翻訳テク

on the mossy ground under the trees：木の下に苔が生えていたりすることをいっているのでしょう。「木々の下の苔むしたところ」といった訳になります。

セリーナがちょっと現場から離れたところにいるというのが、話を進めるうえでのポイントです。一人だけ別なところから見ています。

ロマンス小説ではwonderなどの動詞と共に登場人物の思いを表現　セリフのように訳しましょう

She wondered desperately if she could run away where no one could find her.：以下セリーナの視点から書かれる文章が続きます。

She wondered 〜はむろん、頭の中で考えていることを表現しています。これは簡単に訳せますよね。

訳例では「できることなら、誰にも見つからないところに逃げていきたい、と絶望の中でセリーナは思った」としました。

desperatelyは「必死に」という意味ですが、ちょっと大げさに「絶望の中で」と訳してみました。

The idea of marrying the man her step-father had chosen for her was a horror beyond expression.：この文はそのまま訳せば「継父が彼女のために選んだ男と結婚するという考えは、表現できないほどの恐怖だった」という意味です。

ただ、ここは前の文の**she wonderedの続きで頭の中で考えていることが「描出話法」で表現されている**と考えられるので、セリフのように訳すといいでしょう。

horror beyond expressionはロマンス小説の標準的な訳し方ですと、「いやだわ」といった女言葉で訳すところでしょう。そこまでするのはためらわれたので、「ぞっとする」とし、「おとうさまが選んだあのかたと結婚するのは考えただけでもぞっとする」と訳しました。

翻訳テク

He was old and debauched, 〜：侯爵がどんなにいやなやつかというのを彼女の目から語らせています。ここも息継ぎごとに切って訳します。以下のように区切って訳してみましょう。

He was old and debauched, / and even in her innocence/
she realized that the feelings the Marquess had for her /
were not those of love /but something evil and unspeakable.

語彙・表現

debauched：「酒色にふけった、放蕩な」。女遊びがひどいといった意味です。

innocence いろいろな訳し方ができますが「世間知らず」としました。
something evil and unspeakable：「口にするのも汚らわしい邪悪な感情」とちょっといやな感じに訳しています。

翻訳テク There were tears in her eyes ～：以下の文は彼女の主観で書いていると考えました。「彼女の眼に涙が浮かんだ」とありますが、涙が浮かぶくらいは自分でもわかると判断しました。

翻訳テク a voice said beside her：「横で声がいった」という意味ですが、日本語らしく翻訳すると「すぐそばで声がした」といった感じになります。

語彙・表現 ungallant：無粋な

翻訳テク She looked up and realized that what she could see of the highwayman's face was young and handsome.：「彼女は見上げた」で始まっているので、セリーナの視点からの描写だということがわかります。ここは実は笑ってしまうところです。

セリーナが追いはぎが若くてハンサムだということに気がつくのですが「マスクしているのになぜ、ハンサムだとわかるのか？」と読者としては突っ込みたくなる部分です。苦しいところを無理やりに書いているのに注目してください。

what she could see of ～の部分は、訳し方が難しいですが、つまり「追いはぎの顔の中の見える部分」ということです。マスクに覆われていない顔の一部を目にして、ということになります。本当はこうは書きたくなかったと思います。

「ふと見ると追いはぎは若くてハンサムだった」と書きたかったけれど、マスクしているのにどうしてわかるんだ?ということになるので、「顔の中の見える部分から」と苦肉の策で書いたのでしょう。

語彙・表現 in answer：それに答えて

翻訳テク she pulled the huge diamond ring from her small finger：この大きなダイヤモンドの指輪は婚約指輪なのか。昔も婚約指輪は左の薬指にするのか。そのあたりはわかりませんでした。

ただ、small finger は小指ではないと判断しました。華奢な女の子とあるから細い指なんだろうと考えました。

語彙・表現　held it out to ～：～に差し出した

翻訳テク　"Take this," she said,：セリーナの視点からの表現が続いています。**「彼女はいった」は「セリーナは」といい換えて訳**したほうがいいと思います。

翻訳テク　and I hope I ...：そのあとのセリーナのセリフではまた3点リーダーが登場します。もう馬車から降りているので、ここはちゃんと息が切れるところで言葉が切れています。そのように区切って訳しましょう。

語彙・表現　You sound as if：「その口振りだとまるで」と訳しました。

翻訳テク　Who is the lucky man to whom you have promised yourself?：結婚が決まっている女性に対して「君と結婚できる幸運な男は誰だ」と軽い冗談のようにいう決まり文句ですね。現代でもよく使われます。**追いはぎのセリフが軽い気持ち、ふざけ半分の軽口**だというのはこの最後のセリフでわかります。**その感じを出して訳しましょう。**

まとめ

セリーナの視点からさまざまなことが描写されています。結婚相手の侯爵をいかに彼女が嫌っているかが詳しく描写され、「追いはぎ」と会話をするシーンへと続きます。セリーナが追いはぎをハンサムだと思ったという重要なポイントも書かれています。

補講　小説の神様・横光利一は、いちはやく客観小説を取り入れた

1930～40年代のヨーロッパでの客観小説の流行は当時の日本の文学界でも取り入れられました。

典型的な例が横光利一です。横光利一は日本の国語の時間ですと、デビュー当時の「新感覚派」という奇抜な比喩を使った小説しか紹介されないんですけれど、ちょっと目立ちたがり屋な作家でして、ヨーロッパの新しい文学の傾向をどんどん取り入れて、小説を書いてきた人です。

客観小説というのがヨーロッパで流行ると、さっそく取り入れました。有名な『旅愁』という晩年の長篇は、客観小説の手法で書いています。

ある日本人が初めてパリに行ったという話で、パリのセーヌ河畔の描写なんです。パッシイからセーヌ河を登って来た蒸気船、一本しかない木が花びらを落としている寂しい光景とか、物憂げな汽笛とかそういうのを描いています。

> 家を取り壊した庭の中に、白い花をつけた杏の樹がただ一本立っている。復活祭の近づいた春寒い風が河岸から吹く度びに枝枝が慄えつつ弁を落していく。パッシイからセーヌ河を登って来た蒸気船が、芽を吹き立てたプラターンの幹の間から物憂げな汽缶の音を響かせて来る。城砦のような厚い石の欄壁に肘をついて、さきから河の水面を見降ろしていた久慈は石の冷たさに手首に鳥肌が立って来た。　（横光利一「旅愁」1937～46）

一見、全能の語り手が書いているように見えます。しかし実は、久慈さんという登場人物の目から書いてあります。初めてヨーロッパに行ってさみしがっているというのが、この寂しい描写の中に表れているんですね。

「……さきから……していた久慈は石の冷たさに……鳥肌が立って来た。」ここまで読むと、光景全体が久慈さんという人の目から書いている光景だというのがわかってきます。

語り手を排除すると、話の背景とか時代はいつ頃の話だろうかとか、この人物とこの人物の関係はどうなのかとか、語り手としては伝えられないため、いろいろなテクニックが必要で、どのように伝えるのかというのが腕の見せ所になってきます。

ちなみに横光利一はヨーロッパの最新の文芸理論とかを取り入れて得意がっていたもので、半分は皮肉で「小説の神様」と呼ばれていました。揶揄だったんですね。この頃の新人作家に伊藤整がいました。伊藤整は大学教授でイギリスの小説の翻訳もやっていた人で、横光利一がすごく気にして「あいつに原稿を書かせるな」と自分の息のかかっている編集者にいっていたそうです。伊藤整は横光利一が生きているあいだは静かにしていました。

【実践翻訳ゼミナール❺】

以下の英文を、色文字（語彙・表現）、下線（翻訳テク／注意！）、網のかかった箇所（翻訳指南）に留意しながら訳してみましょう。

❺ For a moment Selina hesitated, then he heard the horror in her voice as she said, "The Marquess of Chorley!"

The highwayman stiffened.

"That swine? It cannot be true!"

"It is ... true!" Selina answered. "And I am afraid ... very afraid!"

"It is not surprising!" the highwayman said. "How can your father ..."

"He is not my father!" she interposed. "He is my step-father and he is glad to be rid of me. I think, too, he wishes to please the Marquess."

"You will certainly please him," the highwayman said grimly.

⑤ 翻訳スタート！

複数の視点人物が一つの文の中で交錯していく

ここは文単位で視点に注意！

このパラグラフからは視点の問題がだんだん複雑になってきます。

ここまでは一つのパラグラフをだいたい一人の視点で書いていました。しかし、この先は、セリーナと追いはぎの視点が絡み合っていきます。それも多分、作者が計算の上で書いていると考えられます。

実際にどのように視線が交錯していくかを見ていきましょう。

For a moment Selina hesitated,：最初の文はセリーナの視点です。これが「ためらったように見えた」と書けば、誰か別の人の視点となりますが、「ためらった」と主観描写になっていますので、ここはセリーナの視点です。

then he heard the horror ～：カンマに続く文は「彼」の視点に移

【宮脇訳】

一瞬、セリーナはためらった。その答えに、彼は恐怖を聞き取った。「チョーリー侯です！」

追いはぎは身をこわばらせた。

「あの好色漢か？　そんな馬鹿な！」

「でも……そうなんです」と、セリーナはいった。「だから、わたし、怖いんです……とても怖いんです！」

「その気持ちはよくわかるな」と、追いはぎはいった。「どういうつもりできみの父上は……」

「あの人は本当の父ではありません」と、セリーナはさえぎった。「血のつながりはないんです。わたしを厄介払いできて、ほっとしてるんです。それに、侯爵を喜ばせることもできると思ってるんです」

「きみだったら、たしかに侯爵は喜ぶだろう」追いはぎはにこりともしないでいった。

ります。「彼は恐怖を聞いた」とあります。「恐怖を聞き取った」と訳しました。

注意すべき点は、**主語は「彼は」と訳すということです。ここを「追いはぎ」と置き換えてはいけません。視点がセリーナになってしまうからです。**彼は本当は追いはぎではないのですが、そのことをセリーナは知らない。だからここは彼の視点で書かれていることを示すため「彼」と訳さないといけない。それが小説の文法です。

読者によりわかりやすいようになどと考えて「彼」を「追いはぎ」に置き換えたりしてしまうと、作者の意図が台無しになってしまいます。

一つのセンテンスの中で、前半はセリーナの視点、後半は彼の視点というように、二人の視点が交わるように書いています。面白い書き方です。やがて二人が一つになるという伏線のつもりでこういう書き方をしている。うっかり読んでいると絶対気がつかないところです。

翻訳テク　The highwayman stiffened.：highwaymanが出てきます。つまりセリーナの視点ということになります。「セリーナは見た」というのが省略されていると考えていいでしょう。ここでは「追いはぎ」とちゃんと訳さないといけません。

翻訳テク

That swine? It cannot be true!：このswineを「豚野郎」と訳すかたが多いですね。豚（swine）には二つの意味があります。「欲張り」と「色魔」といった意味です。だから「豚野郎」と訳してもいいのですが、そうすると太っている人の体形をいっているようにも思えます。

ここはセリーナの言葉からも、多分変態的な女好きであることを指しているのだろうと思うので、「色魔」のほうの意味にとるといいでしょう。「好色漢」といった言葉にすると意味がはっきりします。

なお、普通の追いはぎだったら「チョーリーの侯爵」なんて知らないでしょう。彼は貴族の一員だからチョーリーのことを知っている、といったこともここでさりげなく示されています。

It cannot be true!は「本当ではありえない」という意味なので、「そんな馬鹿な」と訳しました。

surpriseの意味は「意外」に近い

注意!

It is not surprising!：侯爵との結婚を「怖い」というセリーナに追いはぎが答えるところです。**surpriseはけっこう誤解されている言葉**です。この単語は「びっくりする」という意味ではないんですよ。「予想と違う」くらいの感じです。

「驚く」を表す言葉のグループの中でsurpriseは一番下のレベルです。たいがいは「意外」と訳せばいい。日本語の「驚く」はastonishのほうに近いです。

サプライズパーティーはびっくりパーティーではなくて、意外パーティー。パーティーがあるとは思ってなかったのに、意外なことにパーティーだったという。

この文では「意外ではない」ということですね。

セリーナが「好色漢の侯爵と結婚するのが怖い」というのに対して**「それは驚くことではない」と訳すといいすぎ**になってしまいます。「予想外のことではない」「意外ではない」という意味をこの場面に合わせ、「その気持ちわかるよ」と訳しました。

人間関係が的確にわかる訳語を選ぼう

翻訳テク

He is not my father!：「彼は私の父親ではありません」とそのまま訳す

とニュアンスがおかしくなります。そこで「本当の」を入れ「あの人は本当の父ではありません」と訳しました。そのあとの文も「義理の父親です」と訳すと説明的すぎる気がします。「血のつながりはないんです」とすると普通の会話になると思うのですがいかがでしょうか。

ここを「あの人は父親ではありません。義父なんです」と訳すと、義父は夫のお父さんを指すこともあり、関係がよくわからなくなるので注意しましょう。

語彙・表現

interposed：さえぎった
to be rid of：「厄介払いする」　get rid of ～ともいいます。
grimly：「とても真剣に」。grim、grimlyという形容詞・副詞は修飾する単語によって意味が変わります。この単語と、訳し方については次ページからの「補講」を参照してください。

まとめ

セリーナと追いはぎの視点が頻繁に入れ替わり、交錯する文章が続きます。そして「追いはぎ」の若者がセリーナを美しいと思っていることがわかりました。また、副詞一つで登場人物の気持ちが表現できる点も注目しましょう。

「冷酷」だけではなかった！翻訳業30年にして知ったgrimの意味

"You will certainly please him," the highwayman said grimly.

この文は翻訳者がどこまでわかっているかどうかを調べるのにちょうどいい問題になります。

実は追いはぎがセリーナを美人だと思っていることを示している文なのですが、ここで追いはぎはgrimlyにいったとあります。

「追いはぎ」が主語になっているということは、ここもセリーナの視点で書いているということになりますが、ここで問題になるのがgrimlyの意味です。

grimlyをリーダーズで引くと、「いかめしい、厳格、残忍、冷酷」といった言葉しか出てきません。たいがいの人は、追いはぎなので「冷酷」を選びます。

「きみだったら確かに侯爵は喜ぶだろう」と追いはぎは冷酷にいった。

という文になる。しかし実は違うのです。

grimlyの意味は英和辞典ではよくわからない

実はgrim/grimlyという形容詞・副詞の意味が日本の辞書では十分に説明されていません。

しかしごく普通の英英辞典を引くと載っています。OEDを引くまでもなく、たとえばコウビルド英語辞典でgrim/grimlyを引くと、**何を修飾するかによって意味が変わる形容詞、副詞**だということがわかるのです。

たとえばシチュエーションやインフォメーションにgrimが付いた場合は、unpleasant, depressing, and difficult to acceptとあります。つまり、こういう場合のgrimは「受け入れがたい」とか、「気が滅入る」といった意味になるわけです。

次に場所に付く場合の説明があります。grimな場所はunattractiveで見かけがdepressingな場所という意味になります。つまり、なんにもないつまらない場所ということです。

そして肝心な説明が出てきます。

personやbehaviorにgrimが付くとvery seriousという意味になるとあるのです。「とても真剣」ということです。なぜ真剣かというとworried about＝心配しているからです。心配するあまり、まじめな顔になっているのをgrim /grimlyといっている。「冷酷」とはまったく意味が違うわけです。

例文では追いはぎが心配しているんです。この可愛い子があのヒヒ爺のところに嫁がなくてはいけないのかと心配して、真剣な顔をしている。

その前のセリフでは軽口をたたいていました。「君と結婚できる幸運な男は誰だ」と。そこから急に態度が変わって、真剣そうな顔になったというのがgrimlyなんですね。

追いはぎは犯罪者だから冷酷なんだろうとつい訳してしまいがちですが、意味はまったく逆なんです。相手の身の上を案じているということをgrimlyで表しているのです。

訳例では「**にこりともせずに**」としました。

「**追いはぎは急にまじめな顔になっていった**」というふうに訳してもいいと思います。

grim/grimlyは情報・状況、場所、人や行動のどれに付くかで意味が変わる。このことに気がつくまでに私も何十年もかかりました。「だって英和辞典に書いてあるんだもん」といい訳はたちますが、ずっともやもやしていました。

grimをさんざん「冷酷な」と訳し続けて、30年目くらいにやっと気がつきました。

形容詞・副詞は修飾する語によって意味が変わります。みなさんも翻訳をしていて、適切な訳が見当たらず、もやもやしたときは英英辞典で確認してください。

【実践翻訳ゼミナール❻】

以下の英文を、色文字（語彙・表現）、下線（翻訳テク／注意！）、網のかかった箇所（翻訳指南）に留意しながら訳してみましょう。

❻ He looked at Selina's large eyes misty with tears, at the trembling of her small mouth, at the delicacy of her heart-shaped face.

"How old are you?" he asked.

"I am seventeen."

"It is unbearable!" he said. "Is there no one who can help you?"

"No one! My mother is ... dead."

He stood looking down at her and as their eyes met instinctively, as if it was an impulse she could not prevent, she put out her hands towards him.

"Save me!" she whispered. "Please ... save me!"

For a moment he was very still.

Then as he would have spoken one of his servants who had been ransacking the coach came to his side.

"There's not much money, m'lord," he said in a low voice, "but plenty of what I think be wedding presents."

"They are," the highwayman said briefly. "Divide the money, Jeeves, between you and Tom for your trouble. Let the gentleman keep the rest and set the horses free. It will take time to catch them."

He turned to Selina.

"You really meant what you asked me? You are prepared to trust yourself to me?"

"I know I can ... trust you," she said softly. "I do not know how I know ... except that you are different ... very different in every way to the Marquess."

"I should hope so."

【宮脇訳】

彼が見ると、大きな目にはうっすらと涙が浮かび、小さな口もとは震え、ハート型の顔はいかにも繊細だった。

「きみの歳は？」と、彼は尋ねた。

「十七です」

「かわいそうに！」と、彼はいった。「助けてくれる人は誰もいないのかい？」

「一人もいません！　母は……死にました」

彼は、セリーナを見下ろしたまま立っていた。そのとき、本能的に目と目が合い、まるで抑えきれない衝動に駆られたかのように、セリーナは手を差し伸べていた。

「助けてください」小さな声で、セリーナはいった。「お願いです……助けてください！」

一瞬、彼は立ちすくんだ。

そして、返事をするつもりだったが、そのとき、馬車をあさっていた召使いの一人がそばにやってきた。

「現金はあまりありませんでしたよ、若さま」声をひそめて、その男はいった。「たくさん積んである品物は結婚の祝い物ではないかと思います」

「そのとおりだ」追いはぎは短くいった。「その金は、ジーヴス、トムと二人で分けろ。残りの荷物はそのままにして、馬はどちらも放しておけ。時間稼ぎになるだろう」

彼はセリーナのほうに向き直った。

「さっきいったことは本気かい？　ぼくにすべてをゆだねるというのか？」

「あなたは……信じられる人です」セリーナは静かにいった。「なぜそう思ったのかはわかりません……ただ、あなたはほかの人とは違います……侯爵とは何から何まで違います」

「だといいがね」

❻ 翻訳スタート！

He looked at Selina's large eyes misty with tears：視点人物が切り替わります。he lookedとなっているので、ここからは「彼」の視点になっています。セリーナの顔を描写するために、視点を変えた文ですね。「彼が見ると」とすればいいと思います。

普通に訳すと「彼は、涙の浮かんだセリーナの大きな目を見た」となりますが、**彼女の目に涙が浮かんでいるという描写が主眼**なので、「彼が見ると、大きな目にはうっすらと涙が浮かび……」という感じのほうがよいでしょう。

この後しばらく「彼」の目線が続きます。

翻訳テク

at the delicacy of her heart-shaped face：「ハート型の顔のデリカシーを見た」とはつまり顔全体の輪郭の描写で、「繊細な顔だった」といっています。

語彙・表現

unbearable：「耐えられない」という意味。ここでは年齢を訊かれたセリーナの答えに対する反応なので「かわいそうに」くらいでいいのではないかと考えます。

視点を変化させることで二人の心の動きを演出

クライマックスに向けた、高度な小説技術

He stood looking down at her ～：この部分も一つのセンテンスに「彼」の視点とセリーナの視点の両方が入ってくるところです。**状況が転換する大事な場面で、両方の心が動いたという感じを表現**したかったのでしょう。

最初は、彼の視点です。彼女を見下ろしながら立っています。

and as their eyes met instinctively：続く文はおそらく「二人同時の視点」だと思います。目と目が絡み合ったんですね。「本能的に目と目が合い」とあります。

as if it was an impulse she could not prevent, she put out her hands towards him.：続いてはセリーナの視点になります。彼女が衝動に駆られたように手を差し伸べるシーンです。

最初の部分が彼の目でセリーナを見ていて、真ん中に二人の目が同時にきて、最後はセリーナの視点になっている。

　こういう構造の文章です。
　ここはクライマックスにいたる大事な場面ですので、計算しながら書いています。
　小説的には非常に高度な技術を使っているところです。

語彙・表現

still：「じっとしている」。ここの訳としては「立ちすくんだ」でいいと思います。

翻訳テク

Then as he would have spoken：少し難しい表現です。wouldという助動詞が入り仮定法になっています。「しゃべったかもしれなかった」という意味です。「助けてください」という訴えに対し「返事をしたかもしれなかった」というのがwould have spokenです。ここは彼の視点になっているのは明らかなので、「返事をするつもりだった」でいいでしょう。
　返事をするつもりだったのですがそこに召使がやって来たので、ちょっと返事を延ばしたという場面です。

翻訳テク

one of his servants：次第に「彼」の正体が明らかになっていく場面です。servantsと書いてあるということは彼の視点から見ています。セリーナやサー・マロリーの目から見れば、追いはぎの手下ですから、召使という言葉は使いません。最初のほうでセリーナやサー・マロリーの視点の文ではone of his menと表現されています。

m'lordという呼びかけで身分が明らかに

時代ものの「呼びかけ」は翻訳の重要なヒント

There's not much money, m'lord：召使のこのセリフで追いはぎの正体が明らかになります。
　m'lordと表記されていますがこれはmilordのこと。my lordがなまった言葉で、貴族に対する呼びかけです。
　ロード（Lord）という呼びかけの使い方は非常にややこしく、伯爵や侯爵に対してロード という呼びかけは使わないそうです。ロード●●●と爵位名をつけて呼びます。ミルフォード侯爵なら、ロード・ミルフォードと呼びかけないといけません。跡継ぎの息子に対しても同じように呼びかけます。
　ロードだけで呼びかけていいのは次男坊、三男坊たちです。

つまりこの若者がm'lordと呼ばれているということは、貴族だけれども跡取り息子ではないことを意味します。跡取りだったらロード●●●といった感じで呼ばれるはずです。

この若者は貴族の次男坊か三男坊あたりで、気楽なやつなんですね。だから召使と追いはぎごっこをやっているわけです。

そして「ミロード」という呼びかけによって、読者には正体がわかるだろうというつもりで書いています。

ハーレクインなどのロマンス物をよく読む人は、昔の貴族の生活にも憧れて、研究しているのでよく知っています。だからこの一言で彼がどういう人物かわかるんですね。

とはいえ、日本語訳ではそんなに詳しいことは書けないので、訳は「若さま」としました。

翻訳テク

in a low voice：「低い声で」。この部分は結構大事です。**セリーナには聞こえていないという設定**を示しているからです。聞こえていれば、彼女にも追いはぎがどういう身分の人かわかったはずです。でも低い声でいったので聞こえず、セリーナはまだ追いはぎの正体は知らないということになっているわけです。

訳では「声をひそめて」としました。

語彙・表現

wedding presents：ウェディング・プレゼントは結納品的なものなのか、誰が誰に対してどのような品物をプレゼントするのかはわからなかったので、とりあえず「結婚の祝いもの」と訳しました。

翻訳テク

the highwayman said briefly：主語が追いはぎとなっているのでセリーナの視点です。まだ彼のことを追いはぎだと思っているということも示しています。

語彙・表現

Divide the money, Jeeves, ～ Tom：人名が出てきて、召使の二人はジーブスとトムという名前だったことがわかります。ジーブスは従僕によく使われる名前ですね。多分、servantに気がつかなかった読者のために念を入れて、ジーブスという名前を入れたのではないかと思います。

翻訳テク

and set the horses free：馬が複数形になっているのに注意。コーチは二頭だての（もしくは四頭だて）四輪馬車です。**馬が複数いることをわか**

るように訳す必要があります。二頭だてと考えれば「馬はどちらも放せ」と訳すとよいでしょう。

語彙・表現

trust yourself to me：trust meなら「ぼくを信じる」と解釈するところですが、trust ... to 〜だと「…を〜にゆだねる」という意味になります。「ぼくにすべてをゆだねる覚悟はあるの？」といった感じの訳になります。

語彙・表現

trust you：セリーナの返事は単純にtrust youなので「あなたを信じる」という意味になります。

翻訳者のレベルが判断できる接続詞

翻訳テク

except that you are different ...：**except thatの訳で翻訳の素人と玄人の差**が出ます。

「あなたは違うということを除いては」と訳しがちですが、その場合のexceptではありません。ここはexcept thatで「ただ」と接続詞的に訳せばいいところです。

「ただあなたはほかの人とは違います」となります。

まとめ

セリーナと追いはぎの二人の会話を通して、話が大きく展開し始めました。「追いはぎ」が本当は貴族の若者であることもさりげなく匂わされています。ただしセリーナはそのことに気がついていません。

【実践翻訳ゼミナール❼】

以下の英文を、色文字（語彙・表現）、下線（翻訳テク／注意！）、網のかかった箇所（翻訳指南）に留意しながら訳してみましょう。

❼ He gave a low whistle and his horse, which had been cropping the grass under a tree came towards him.

"You are still sure you will not regret coming with me?" he asked.

"I am quite ... sure," she answered, and he saw the light in her eyes.

He lifted her on to his saddle, and as he did so she heard her step-father give a shout of fury, but she did not look back.

The highwayman swung himself up beside her and as he did so he pulled off his mask and flung it into the bushes.

"I have won my wager!" he said. "Sir Mallory has boasted for years that he has never been held up by a highwayman."

"He will never ... forgive you, and he may ... harm you."

"I think it unlikely," the highwayman answered, "although I have robbed him of something very precious!"

For a moment she did not understand. Then as a flush stained her cheeks he rode his horse away into the wood.

"Very precious," he said again, "and I have a feeling it is something I have been looking for a very long time."

"It is ... perhaps what ... I have been wanting ... too," she whispered.

He smiled down at her as he said softly, "I think, in fact I am sure, we have both been seeking the same thing. It is called love!"

【宮脇訳】

彼が低く口笛を吹くと、木の下で草を食べていた馬が駆けてきた。

「ぼくと一緒にきて、本当に後悔しないんだね？」彼は尋ねた。

「しません……絶対に」と、セリーナは答えた。その目に光が宿っているのを彼は見た。

彼はセリーナを馬の鞍に乗せた。そのとき、セリーナは継父の怒り狂った叫び声を耳にしたが、振り返ることはなかった。

追いはぎはセリーナの横にひらりと飛び乗った。そして、そうしながら、覆面を取り、茂みに投げ捨てた。

「賭けに勝ったぞ！」と、彼はいった。「サー・マロリーは一度も追いはぎに襲われたことがないのを何年も自慢してたんだ！」

「あの人はきっと許さないと思います……あなたに……けがを負わせるかもしれません」

「それはどうかな」と、追いはぎはいった。「たとえ、ぼくが奪ったのが、とても値打ちのあるものだとしてもね！」

一瞬、セリーナには意味がわからなかった。やがて、その頬は赤く染まり、彼は森に馬を進めた。

「とても値打ちのあるものだ」と、彼は繰り返した。「ぼくは、長いあいだ探し求めていたものを手に入れたような気がするよ」

「それはたぶん……わたしもずっと望んでいたもの……だと思います」と、セリーナはささやいた。

彼は下を向いてセリーナに微笑みかけ、静かにいった。「たぶん、いや、きっと、ぼくたちは同じものを探し求めていたんだ。愛というものを！」

⑦ 翻訳スタート!

緻密に練られた視点を崩さずに、正しく訳し切る

翻訳テク

he saw the light in her eyes：直訳すれば「彼は、彼女の眼の中に光を見た」。この光は涙の光とは違います。決心の光です。「その目に光が宿っているのを彼は見た」というように訳せばいいと思います。

翻訳テク

He lifted her on to his saddle, and as ～ she heard her step-father ～：彼の視点で始まっている文ですが、途中でセリーナの視点に変わります。

「彼はセリーナを馬の鞍に載せた。そのときに……」の次はsheが主語になり、彼女の視点に変わっています。

このあとで二人がいっしょに逃げる決意をしたところで、両方の視点が入るような文章になってきています。

翻訳テク

The highwayman swung himself up beside her：この箇所は完全に**セリーナの視点**です。というのは、いまだに**若者を追いはぎと呼んでいる**からです。

馬の乗り方のswung himself upはひょいっと乗った感じです。これがclimbedを使うと馬の脇腹を這い上ってよっこらしょと座る感じでスマートではない。ここで彼のかっこよさを出してます。

「追いはぎはセリーナの横にひらりと飛び乗った」と訳しました。

語彙・表現

won my wager：「賭けに勝った」。ここで、なぜ彼がこんなことをしたのかという動機がセリフで明かされます。遊び仲間と賭けをしたんですね。

翻訳テク

he may ... harm you：harmは「害を与える」という意味ですが、どこまでのharmなのか。場合によっては「半殺しの目に遭わされます」のような訳し方もできますが、ここはそこまではいかない程度の肉体的な危害を与えられることをharmといっているのだと考え、「けがを負わせるかもしれません」と訳しました。

翻訳テク

"I think it unlikely," the highwayman answered：I think it unlikelyは「そんなことはあり得ない」という意味。「それはどうかな」と訳してみました。

ここでもまだ主語は追いはぎです。セリーナの目から見ているということになります。

二人は駆け落ちをする決心をしたわけですが、セリーナはまだ相手を追いはぎだと思っている。これは大事なところです。

貴族の息子だと知って駆け落ちしているとなるとかなり打算的な女ということになりますが、**追いはぎだと思い込んだまま一緒に逃げようとしているので、純真なところが表れている**。それをこういうふうに「追いはぎ」という言葉で表している。

かなり高等な技法です。

翻訳テク

although I have robbed him of something very precious：このあたりからはロマンスもののお決まりの表現で進んでいきます。若者のセリフは主語が追いはぎなのでセリーナの視点で表現されています。

続くas a flush stained her cheeksでは「とても値打ちのあるものを奪った」という言葉の意味を理解したセリーナの頬が赤く染まります。頬は自分では見えないのでこちらは若者の視点からの文だと判断しました。

翻訳テク

I have a feeling it is something I have been looking for a very long time：「長い間探し求めていたものを手に入れた気がする」。このあたりもロマンスもののお得意のセリフです。二人の甘いやりとりが続きます。

翻訳テク

He smiled down at her：ここはdownをちゃんと生かすのが翻訳のポイントです。

smile at herだと同じ高さで微笑んでいることになります。しかしここは小柄なセリーナに対して下を向いて微笑んでいるのです。

「彼は下を向いてセリーナに微笑みかけた」というふうに訳すべきでしょう。

注意!

as he said softly：as～を「～しながら」と考え、前のHe smiled down at herと合わせて「彼はいいながら下を向いて微笑んだ」というふうに訳す人がいます。しかしここのasは接続詞のandと同じです。**andを使いすぎると目立つので、asに変えただけ**です。

言葉の重複を避けたりリズムを考えたりして表現をちょっと変える、これも小説の文法の一つです。

長い文を作るとき、andで文章をつなげていくのがシンプルですが、

exceptでつなげたりasでつなげたり、分詞構文でつなげたりとやり方はいろいろあります。

asで始まる修飾節だと思うと、下から上にかけて訳したくなるかもしれませんが、ここは作者がこの順番で英文を書きたかっただけなんです。

「下を向いて微笑んだ、そして優しく（静かに）いった」とそのままに訳せばいいでしょう。

翻訳テク

I think, in fact I am sure, ～：最後の部分のセリフではI thinkとまずいったあと、in fact I am sure、といい直しています。「多分」といってから、そのあとで思い直して「いや、きっとだ」といったわけです。そして「ぼくたちは同じものを探し求めていたんだ」「それは愛というものだ」となってエンディングとなります。

こうして読んでいくと、本当に文に無駄がありません。

どの文も緻密に意図して書かれています。そこが翻訳家にとっては怖いところです。**一文たりともいい加減に訳してはいけない。書き手の意図を考えながら、それに合わせて適切な日本語に訳すことが求められる**作品です。

まとめ

セリーナと「追いはぎ」の視点が頻繁に入れ替わりながらハッピーエンディングに向かっていきました。最後まで、どの文も緻密に意図して書かれています。書き手の意図を注意深く考えながら、訳すことが求められています。

同趣向の長篇小説版もあり

バーバラ・カートランドは同じ趣向の長篇を1952年に発表しています。その長篇版はチャールズ二世の時代のイングランドを舞台にしていますが、もしかしたらこの短篇のほうを先に書いていて、それをあとから発表したのかもしれません。亡くなったあと、大量の未発表作品が見つかった作家ですから、長篇のメモとして書いたまま机の引き出しにしまっておいた短篇を1975年に発表した、なんてことも考えられます。長篇版は、*Cupid Rides Pillion*（キューピッドは女性用の添え鞍に乗る）という題名ですが、*The Secret Heart*（秘められた心）、*The Lady and the Highwayman*（貴婦人と追いはぎ）という題名でも知られています。この最後の題名で、80年代終わりにテレビドラマになっていて、その予告編を見たことがあります。インターネットに動画で上がっているので見ようとすれば見られますよ。ちなみにヒュー・グラントの若い頃の主演作です。若さまを演じています。

長篇版は短篇より20年以上前に
発表されていた
Cupid Rides Pillion
Barbara Cartland 著 / Arrow Books 刊
（ハードカバー版：Hutchinson 刊）

長篇版はヒュー・グラント主演で
TVドラマ化され、DVDも発売された
The Lady and the Highwayman
（1989年／イギリス）

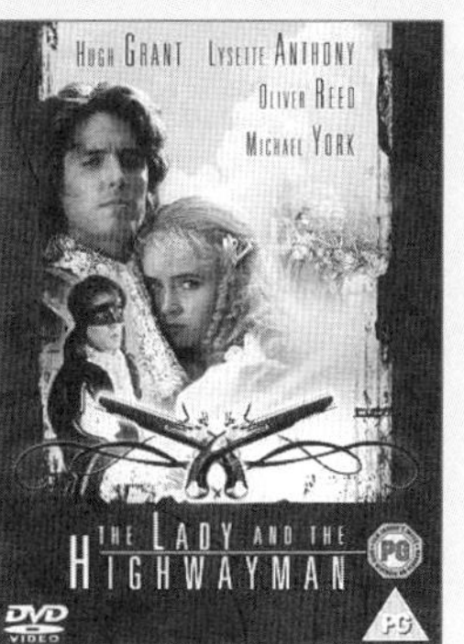

【第二章】

短篇

The Recording
録音

by Gene Wolfe

ジーン・ウルフ

エンディングをどう読むか？
文学的ファンタジー作品

何度読んでも発見がある！
作者の奥深い意図を
読み取らないと訳せない

難易度

語彙 ★★☆　文章 ★★★　推理力 ★★★

まずは次ページから作品に目を通してください➡➡➡

【課題英文】

次の英文を、「時代背景」「文中に潜む作者の意図」に気をつけながら読んでみましょう。

The Recording

by Gene Wolfe

❶ I have found my record, a record I have owned for fifty years and never played until five minutes ago. Let me explain.

When I was a small boy—in those dear, dead days of Model A Ford touring cars, horse-drawn milk trucks, and hand-cranked ice cream freezers—I had an uncle. As a matter of fact, I had several, all brothers of my father, and all, like him, tall and somewhat portly men with faces stamped (as my own is) in the image of *their* father, the lumberman and land speculator who built this Victorian house for his wife.

❷ But this particular uncle, my uncle Bill, whose record (in a sense I shall explain) it was, was closer than all the others to me. As the eldest, he was the titular head of the family, for my grandfather had passed away a few years after I was born. His capacity for beer was famous, and I suspect now that he was "comfortable" much of the time, a large-waisted (how he would roar if he could see his little nephew's waistline today!), red-faced, good-humored man whom none of us—for a child catches these attitudes as readily as measles—took wholly seriously.

The special position which, in my mind, this uncle occupied is not too difficult to explain. Though younger than many men still working, he was said to be retired, and for that reason I saw much more of him than of any of the others. And despite his being something of a figure of fun, I was a little frightened of him, as a child may be of the painted, rowdy clown at a circus; this, I suppose, because of some incident of drunken behavior witnessed at the edge of infancy and not understood. At the same time I loved him, or at least would have said I did, for he was generous with small gifts and often willing to talk when everyone else was "too busy."

❸ Why my uncle had promised me a present I have now quite forgotten. It was not my birthday, and not Christmas—I vividly recall the hot, dusty streets over which the maples hung motionless, year-worn leaves. But promise he had, and there was no slightest doubt in my mind about what I wanted.

Not a collie pup like Tarkington's little boy, or even a bicycle (I already had one). No, what I wanted (how modern it sounds now) was a phonograph record. Not, you must understand, any particular record, though perhaps if given a choice I would have leaned toward one of the comedy monologues popular then, or a military march; but simply a record of my own. My parents had recently acquired a new phonograph, and I was forbidden to use it for fear that I might scratch the delicate wax disks. If I had a record of my own, this argument would lose its validity. My uncle agreed and promised that after dinner (in those days eaten at two o'clock) we would walk the eight or ten blocks which then separated this house from the business area of the town, and, unknown to my parents, get me one.

❹ I no longer remember of what that dinner consisted—time has merged it in my mind with too many others, all eaten in that dark, oak-paneled room. Stewed chicken would have been typical, with dumplings, potatoes, boiled vegetables, and, of course, bread and creamery butter. There would have been pie afterward, and coffee, and my father and my uncle adjourning to the front porch—called the "stoop"—to smoke cigars. At last my father left to return to his office, and I was able to harry my uncle into motion.

From this point my memory is distinct. We trudged through the heat, he in a straw boater and a blue and white seersucker suit as loose and voluminous as the robes worn by the women in the plates of our family Bible; I in the costume of a French sailor, with a striped shirt under my blouse and a pomponned cap embroidered in gold with the word *Indomptable*. From time to time, I pulled at his hand, but did not like to because of its wet softness, and an odd, unclean smell that offended me.

❺ When we were a block from Main Street, my uncle complained of feeling ill, and I urged that we hurry our errand so that he could go home and lie down. On Main Street he dropped onto one of the benches the town provided and mumbled something about Fred Croft, who was our family doctor and had been a schoolmate of his. By this time I was frantic with fear that we were going to turn back, depriving me (as I thought, forever) of access to the phonograph. Also I had noticed that my uncle's usually fiery face had gone quite white, and I concluded that he was about to "be sick," a prospect that threw me into an agony of embarrassment. I pleaded with him to give me the money, pointing out that I could run the half block remaining between the store and ourselves in less than no time. He only groaned and told me again to fetch Fred Croft. I remember that he had removed his straw hat and was fanning himself with it while the August sun beat down unimpeded on his bald head.

❻ For a moment, if only for a moment, I felt my power. With a hand thrust out I told him, in fact ordered him, to give me what I wished. I remember having said: "I'll get him. Give me the money, Uncle Bill, and then I'll bring him."

He gave it to me and I ran to the store as fast as my flying heels would carry me, though as I ran I was acutely conscious that I had done something wrong. There I accepted the first record offered me, danced with impatience waiting for my change, and then, having completely forgotten that I was supposed to bring Dr. Croft, returned to see if my uncle had recovered.

In appearance he had. I thought that he had fallen asleep waiting for me, and I tried to wake him. Several passers-by grinned at us, thinking, I suppose, that Uncle Bill was drunk. Eventually, inevitably, I pulled too hard. His ponderous body rolled from the bench and lay, face up, mouth slightly open, on the hot sidewalk before me. I remember the small crescents of white that showed then beneath the half-closed eyelids.

❼ During the two days that followed, I could not have played my record if I had wanted to. Uncle Bill was laid out in the parlor where the phonograph was, and for me, a child, to have entered that room would have been unthinkable. But during this period of mourning, a strange fantasy took possession of my mind. I came to believe—I am not enough of a psychologist to tell you why—that if I were to play my record, the sound would be that of my uncle's voice, pleading again for me to bring Dr. Croft, and accusing me. This became the chief nightmare of my childhood.

To shorten a long story, I never played it. I never dared. To conceal its existence I hid it atop a high cupboard in the cellar; and there it stayed, at first the subject of midnight terrors, later almost forgotten.

Until now. My father passed away at sixty, but my mother has outlasted all these long decades, until the time when she followed him at last a few months ago, and I, her son, standing beside her coffin, might myself have been called an old man.

❽ And now I have reoccupied our home. To be quite honest, my fortunes have not prospered, and though this house is free and clear, little besides the house itself has come to me from my mother. Last night, as I ate alone in the old dining room where I have had so many meals, I thought of Uncle Bill and the record again; but I could not, for a time, recall just where I had hidden it, and in fact feared that I had thrown it away. Tonight I remembered, and though my doctors tell me that I should not climb stairs, I found my way down to the old cellar and discovered my record beneath half an inch of dust. There were a few chest pains lying in wait for me on the steps; but I reached the kitchen once more without a mishap, washed the poor old platter and my hands, and set it on my modern high fidelity. I suppose I need hardly say the voice is not Uncle Bill's. It is instead (of all people!) Rudy Vallee's. I have started the recording again and can hear it from where I write: "*My time is your time...My time is your time.*" So much for superstition.

作者はこんな人

Gene Rodman Wolfe　ジーン・ウルフ（1931-2019）

アメリカのファンタジー作家、SF作家。ニューヨーク生まれだが、テキサス州ヒューストン育ち。朝鮮戦争の従軍経験あり。翻訳が難しい凝った文章で知られる。

宮脇メモ　ジーン・ウルフは*Plant Engineering*という理系の雑誌の編集者を務めながら執筆活動を続け、1984年以降は専業作家になっています。

文学的な文章力で評価され、また南部文学の雰囲気を持った作風でも知られている作家です。

主な長篇作品に「新しい太陽の書（The Book of the New Sun）」四部作、『ケルベロス第五の首（*The Fifth Head of Cerberus*）』『書架の探偵（*A Borrowed Man*）』、主な短篇集に『ジーン・ウルフの記念日の本（*Gene Wolfe's Book of Days*）』など。

多作な作家で、2019年に死去していますが、晩年近くまで作品を発表し続けました。（ジーン・ウルフについては101ページの「補講」も参照ください）

作品の紹介

The Recording（録音）

子供時代のブラックな思い出を一人称で語る短篇。1972年に*The Magazine of Fantasy and Science Fiction*というSFとファンタジーの専門誌に掲載された。

宮脇メモ　「私」が語る50年前の子供の頃の出来事がテーマになっています。ここまで深刻な経験をしている人は少ないでしょうが、何かしら罪悪感を抱く経験については多くの人が覚えがあるのではないでしょうか。

『ベスト・オブ・ジーン・ウルフ（*The Best of Gene Wolfe*）』という著者自ら選んだベスト短篇集にもこの作品が収録されています。本人にも何か思い出がある作品なのかもしれません。

なおこの小説はアメリカのファンタジー専門誌に載ったファンタジー作品です。普通の短篇小説として読むかたもいらっしゃるかもしれません。しかし最後にきてファンタジーになります。そして、最後まで読んでから読み返すと、作者の緻密な言葉の選び方や暗喩の数々を発見して驚くという、奥深い短篇作品です。

【この作品の翻訳ポイント】

翻訳ポイント ①

緻密に選ばれた言葉や表現を理解するため、できれば2度読んでから翻訳しよう

今回は三人称の客観小説ではなく一人称小説です。50年前から持っていたレコードと伯父さんの思い出が描かれたこの短篇は、「私」が語り手で、すらすら読めます。注意すべき点は**「私」が「全能の語り手」ではない**ということです。「私」が語っている物語ですが、私がすべてを把握しているわけではないのです。小説の背後には作者ジーン・ウルフがいます。そして読み返すと作者の深い意図が隠されている部分がいくつも見つかります。**一度読み終えて、すぐに訳すのではなく、できれば読み返して、作者の意図が込められていそうな言葉や表現を探りながら、訳して**みてください。

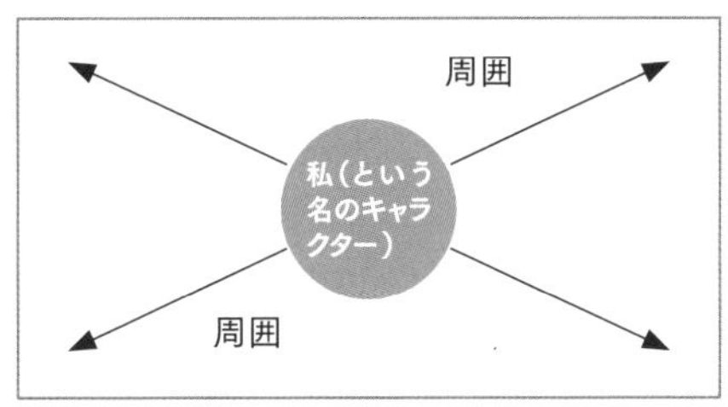

一人称(私、俺)の主観で展開する小説

翻訳ポイント ②

50年間の歳月と「今」との関係を注意して訳そう

この小説は語り手の「私」によって50年ほど前の出来事が語られるという形を取っています。今がいつで、「私」はどういう状況なのか。どこにいるのか。そして50年前はどんな時代なのかなど、今と50年前との関係に気を配って訳していきましょう。

翻訳ポイント ③

子供からみた大人の「怖さ」を表現しよう

ジーン・ウルフは技巧派のSFファンタジー作家です。この短篇でもその表現の素晴らしさが見られます。特に子供が大人に感じる怖さや嫌悪感がとてもうまく表現されています。この雰囲気が伝わるように訳してみてください。

【実践翻訳ゼミナール❶】ブロックごとに英文を訳していきましょう。

以下の英文を、色文字(語彙・表現)、下線(翻訳テク/注意!)、網のかかった箇所(翻訳指南)に留意しながら訳してみましょう。

❶ I have found my record, a record I have owned for fifty years and never played until five minutes ago. Let me explain.

When I was a small boy—in those dear, dead days of Model A Ford touring cars, horse-drawn milk trucks, and hand-cranked ice cream freezers—I had an uncle. As a matter of fact, I had several, all brothers of my father, and all, like him, tall and somewhat portly men with faces stamped (as my own is) in the image of *their* father, the lumberman and land speculator who built this Victorian house for his wife.

❶ 翻訳スタート!

小説の書き出しの訳では人称代名詞を出さない

翻訳テク

I have found my record：直訳は「私は私のレコードを見つけた」。しかしここはレコードを主語にして「レコードが見つかった」と訳すとよいでしょう。**小説の翻訳では書き出しの部分の人称代名詞を出さない**方法がよくとられます。そのほうが読者が小説の世界に入り込みやすいからです。

翻訳テク

never played：50年前から持っていたのに5分前まで、playしたことがなかったレコード。playは再生する、レコードをかけるといった意味ですが、「聴いたことがなかった」と訳してもよいかと思いました。

翻訳テク

Let me explain.：直訳なら「説明させてくれ」。いろいろな訳し方が可能ですが、「それにはこんな事情がある」としました。

翻訳テク

When I was a small boy：「まだ、ほんの子供だったとき」。ここも人称代名詞「私」を使わずに訳すとよいでしょう。

【宮脇訳】

レコードが見つかった。50年前から持っていたのに、5分前まで聴いたことがなかったレコードだ。それにはこんな事情がある。

まだほんの子供だったとき――A型フォードのツーリング・カーが走り、牛乳運搬の荷車を馬が牽いて、手回し式のアイスクリーム製造器があった、今はなき懐かしい時代、そんなとき私には伯父が一人いた。実をいうと、おじは何人かいたし、その全員が父の兄弟で、父と同じようにみんな背が高く、ちょっと太めで、顔立ちは父親と瓜二つ（私もそうだ）、その父親というのが、製材業を営みながら投機目的に森林の売買もしていた人で、自分の妻のために、このヴィクトリア様式のお屋敷を建てた。

意味ありげな言葉は意味ありげに訳そう

翻訳テク

dear, dead days：dear old days（古きよき時代）と書くのが普通ですが、わざとdear, dead daysと書いています。なんとなく不吉な気配が漂ってきます。しかも単語が3つとも“d”で始まっています。

「古きよき時代」の「古き」が「死んだ」となっているので、**日本語も死ぬことを意味する言葉で訳したい**ところです。「今はなき懐かしい時代」としました。単語が二つ「な」で始まっています。

語彙・表現

Model A Ford touring cars：A型フォードのツーリングカー
horse-drawn milk trucks：「牛乳運搬の荷馬車」。trucksはトラック、台車などの意味がありますが、想定される時代が1920年代なので荷馬車と判断しました。
hand-cranked ice cream freezers：「手回し式のアイスクリーム製造機」。昭和の子供たちも利用していました。

名詞句が続くときは動詞を加えて訳す

翻訳テク

dear, dead days of Model A Ford touring cars, horse-drawn milk trucks, and hand-cranked ice cream freezers：of以下に

「Model A Ford touring cars」、「horse-drawn milk trucks」、「hand-cranked ice cream freezers」という3つの名詞句が連なって、「dear, dead days」を修飾しています。「～で、～で、～だった今はなき懐かしい時代」と訳していくところです。

名詞句なので動詞はありませんが、日本語としての形を整えるため、それぞれ適切な動詞を加え、「A型フォードのツーリング・カーが走り、牛乳運搬の荷車を馬が牽いて、手回し式のアイスクリーム製造機があった、今はなき懐かしい時代」と訳しました。

小説の時代背景を理解する

常に「いつなのか」を念頭に置こう

小説の読解・翻訳では作品の中で描かれている時代がいつなのかを把握する必要があります。本作品では「今から50年前」の話が中心になるらしいということが示されています。**作者が設定する「今」がいつか？　そしてその50年前はいつか？**を推測しなくてはなりません。

本作品は1972年に発表されています。その当時の読者に向けて書いたとしたら（そうでない作品もありますが）、作者が設定する「現在」は72年か71年あたり。その50年前のこととなると1920年代初頭の話だろうか？と推測しながら読んでいきます。

ちなみに「私」が懐かしんでいる時代の風物として登場するA型フォードは20年代後半（1927～31年製造）、牛乳運搬の荷車は1900年頃から50年代くらいまではあったようで、手回し式のアイスクリーム製造機は1840年代に発明され1920年代も利用されていました。

注意!

I had an uncle：「私にはおじが一人いた」。

anをしっかり訳しましょう。そうしないと続くAs a matter of fact～につながりません。

コンマでつながる名詞句や文は意味の塊で順番に訳していく

翻訳テク

As a matter of fact, ～：以下はいくつかの文や名詞句がつながった長いワンセンテンスになっています。コンマで区切られた意味の塊ごとに順番に訳し、つなげていくようにします。

ここには語り手の家系の男たちがみんなよく似ていて、みんな太っていることが示されています。作品の重要なポイントでもあります。家族の見た目がそっくりというのは、ウルフの作品によく出てくるモチーフです。SFとして書かれたものであれば、「クローン技術で複製された一族」という意味合いになります。

翻訳テク

I had several, all brothers of my father：実は「おじ」は一人ではなく何人もいたということがわかります。その全員が父の兄弟というわけです。

語彙・表現

tall and somewhat portly：背が高くて少し太目
stamped ... in image of ～：～に瓜二つ
lumberman：製材業者
land speculator：土地の売買業者

翻訳テク

of *their* father, ～：～以下は*their* fatherと同格でlumbermanとland speculatorが続きます。theが一つだけで、andでつながっているので「兼」という意味になります。ちょっと長めですが「製材業を営みながら、投機目的で森林の売買もしていた人」ということです。

翻訳テク

this Victorian house：thisは「今いる」「この」というような意味。つまり「私」が今いるのは祖父が建てたヴィクトリア様式の屋敷ということになります。

まとめ

50年前から持っていたけれど、5分前まで聴いたことがなかったレコード。そこにはどんないわれがあるのか？というところから物語がスタートします。主な舞台となる「50年前」がいつなのか、文中にいくつかのヒントが出されています。語り手の父方の男たちの特徴も心にとめておきましょう。

現実の世界だけでなく、小説の中にも作者と読者がいる

小説における読者と作者の関係についてシーモア・チャットマンという小説研究家が著書『小説と映画の修辞学』の中で触れているところがあります。

小説はいろいろな箱に入っているという考え方です。

作者は現実に生きています。読者も現実に生きています。

一方、読者は小説を読むときに、作者をイメージしながら読んでいる。小説という箱の中にも作者が存在するというんですね。

作者のほうも読者を想定しながら書いています。作者が想定している読者も小説の中に存在しているということになります。

小説を読んでいると、「この作者はきっとハンサムに違いない」などと思って、著者の写真を見たら「何これ?」。顔文一致の逆ですね(笑)。こういう箱があるからそんな状態になるわけです。勝手に作者を想像しながら読者は読んでいる、そして読者を想像しながら作者は書いている。

小説とお話(童話)の違いということでよく使われる話です。

童話というのは実際に目の前にいる聞き手に向かって語りかけているという作りなんですね。「昔むかし、おじいさんとおばあさんがいました」と前に子供を座らせて話をしているということなんで。実際のお話の場合は、現実の作者が現実の読者に語りかけるという形になりますが、活字の小説というのはもっと複雑で、箱の中に箱が入っている形になっているのではないか?というのをいい出したのが、シーモア・チャットマンでした。

今回の“The Recording”の場合は一人称小説なので、もともとの作りが語り手→聞き手という感じで書いてあります。このため、**読者は語り手と作者を同化しやすいところがあるのですが、しかし語り手と作者は当然別人**です。そして語り手の背後に作者がいます。作者がメタレベルからお話全体を見て、語り手「私」に話をさせているという構造です。

一人称小説を読むときは、語り手の背後に存在する作者もイメージしながら読む。小説の世界がさらに奥深く感じられると思います。

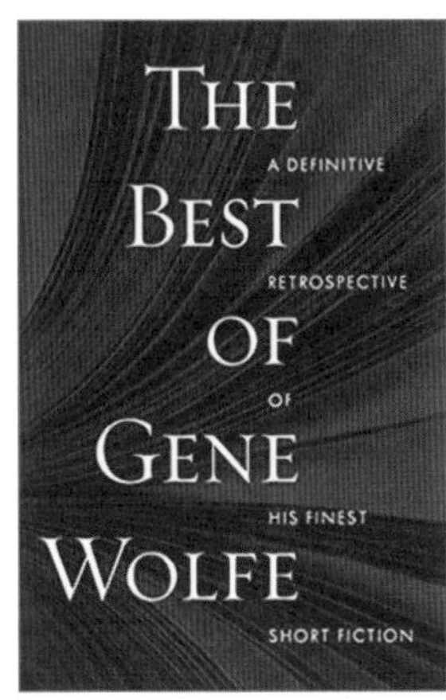

著者が選んだベスト版短篇集に
"The Recording" も収録されている
The Best of Gene Wolfe /
Gene Wolfe 著 / Tor Trade 刊

小説の読者と作者の関係についての
論述もある『小説と映画の修辞学』
Coming to Terms: The Rhetoric of Narrative in Fiction and Film /
Seymour Chatman 著 /
Cornell University Press

【実践翻訳ゼミナール❷】

以下の英文を、色文字（語彙・表現）、下線（翻訳テク／注意！）、網のかかった箇所（翻訳指南）に留意しながら訳してみましょう。

❷ But this particular uncle, my uncle Bill, whose record (in a sense I shall explain) it was, was closer than all the others to me. As the eldest, he was the titular head of the family, for my grandfather had passed away a few years after I was born. His capacity for beer was famous, and I suspect now that he was "comfortable" much of the time, a large-waisted (how he would roar if he could see his little nephew's waistline today!), red-faced, good-humored man whom none of us—for a child catches these attitudes as readily as measles—took wholly seriously.

The special position which, in my mind, this uncle occupied is not too difficult to explain. Though younger than many men still working, he was said to be retired, and for that reason I saw much more of him than of any of the others. And despite his being something of a figure of fun, I was a little frightened of him, as a child may be of the painted, rowdy clown at a circus; this, I suppose, because of some incident of drunken behavior witnessed at the edge of infancy and not understood. At the same time I loved him, or at least would have said I did, for he was generous with small gifts and often willing to talk when everyone else was "too busy."

【宮脇訳】

中でも、ビル伯父さんは（あとで話すような意味で、レコードはその伯父のものなのだが）、ほかのおじたちより私にはずっと近い存在だった。ビル伯父さんは長男だったので、名目上の家長を任されていた。というのも、私の祖父は私が生まれた数年後に亡くなっていたからだ。胃袋に入れるビールの許容量は有名で、今にして思えば一日中「できあがって」いたような気もするが、腹回りは太く（ちっちゃかった甥っ子の今の腹を見たら、きっと笑いこけるだろう！）、赤ら顔で、いつも上機嫌、といったふうだったので、大人も子供も——こういうことは麻疹のようにたちまち伝染するものだ——どこかビル伯父さんを軽んじているようなところがあった。

この伯父が、私の中で特別な位置を占めている理由を説明するのはそれほど困難ではない。もっと年上で働いている人もいるのに、伯父はもう現役を退いていたらしく、そのため、ほかのおじたちよりも顔を合わせる機会が多かったのだ。しかも、愉快なおじさん風の人だったのに、私は少し怖かった。顔におしろいを塗りたくった騒々しいサーカスのピエロを怖がる子供がいるのと同じだろう。たぶん、何か酔態を目撃して、まだ幼かった私にはそれが理解できなかったところからきているのではないかと思う。それでも私は伯父が大好きで、少なくとも人に訊かれたらそう答えていただろう。伯父は気前よくちょっとした物をくれたし、みんなが「忙しい」ときでも話し相手になってくれた。

❷ 翻訳スタート!

whose record (in a sense I shall explain)it was:「あとで話すような意味でそのレコードは伯父のものだが」。この作家らしい緻密な言葉の使い方をしている個所なので、そのとおりに訳します。

所有格を使った英語のあいまいな表現について

his record にひそむ作者の意図とは?

所有格は英語ではあいまいな表現とされています。

写真を見せて "This is my photograph." といった場合「私がどこかで買ってきた写真」「私が写っている写真」「私が撮影した写真」のどの意味にも受け取れます。所有格にはいろいろな意味が含まれ、英語のあいまいな表現の代表なのです。

本文の「whose (his) record」にもいろいろな意味が内包されています。ちなみに語り手自身は「おじさんが買ってくれたレコード」という意味で使っています。「おじさんが買ってくれたという意味で、おじさんのものだった」というつもりで書いています。

しかし his record には「彼が誰かの声を録音したレコード」という意味もあります。**「彼が自分の声を録音したレコード」でもあるかもしれません。3つの意味がある**わけです。

語り手はそこまでは考えてはいません。単純に「おじさんが買ってくれたレコード」という意味で「おじさんのレコード」といっています。しかしこの小説を最後まで読んでから、もう一回この箇所を読み返すと、このあたりが意味深長になってきます。最後まで読んでから、ぜひ読み返して味わってみてください。

語彙・表現

the eldest:ビル伯父さんは「長男」だったということになります。

翻訳テク

the titular head of the family:titular は「名ばかりの」なので、「名目上の家長」。このあとに続く文で描写されますが、朝から酒ばかり飲んで、ぐうたらしている伯父さんなので、名目上は家長だが、実はほかの弟たちが家を支えているということになります。また、ビル伯父さんの父親、語り手の祖父は「私」が生まれた数年後に亡くなっていたことも記され、**「早死にの家系」**であることがここで示されています。

コンマでつながった文で酒飲みの伯父さんを描写

翻訳テク

His capacity for beer was famous:「ビールをいっぱい飲むことで有名」という意味。capacityを「許容量」といった言葉で固く訳せば面白いのではないかと思います。「胃袋に入れるビールの許容量は有名で」といった感じでしょうか。

おそらく作者はcapacity（許容量）という言葉を使おうと思ってこの文章をひねったのではないかと考えられます。

以下、ビル伯父さんがすごい酒飲みだった話が続きます。この作品の特徴でもありますが、**コンマでつながっていくつもの文がだらだらと続きます。書き方の特徴を生かし、同じように文を続けて訳していくと面白い**ところです。

翻訳テク

I suspect now that ～:「今にして思えば」。50年前と今と、二つの時点にまたがった話であることを強調しながら話していることになります。**「今」の時点を強調するために時々now**という言葉を使っているのに注意しましょう。

語彙・表現

"comfortable":comfortableにクォーテーションマークがついているのは、俗語的な含みがあるという意味。酒を飲んでほろ酔い気分になっていることをcomfortableといいます。

翻訳テク

"comfortable" much of the time:「一日じゅう酔っ払っていた」という意味。「一日中できあがっていたような気もするが」とするとなんだか感じが出てくるかと思います。

語彙・表現

large-waisted:「胴回りは太く」と訳しました。ビール腹だったのでしょう。

red faced, good-humored:赤ら顔でいつも上機嫌

翻訳テク

whom none of us ～:このwhom以下の関係代名詞節は、none of usを主語とした文にfor a child catches these attitudes as readily as measlesが挿入されている構造です。

none of usは「私たちの中では誰も」という意味ですが、具体的には「大人も子どもも」とすると後ろの文につながります。

味わい深い文章の雰囲気を訳す

翻訳テク

for a child catches these attitudes as readily as measles：「こういう態度は子供にははしかのようにたちまち伝染するので」という意味になります。catch はここでは「病気に感染する」。

朝からビールばかり飲んで酔っ払っている伯父さんに対する大人たちの態度は子供にも伝染していたということです。**非常に含蓄のある書き方**をしていて、読むたびに感心するところです。**文章を味わい、その雰囲気を訳す**ようにしましょう。

翻訳テク

took wholly seriously：none of us の述語部分。「誰もまじめには受け取らなかった」。つまり「みんなが軽んじた」という意味になります。前項にある these attitudes とは伯父さんを軽んじるこういう態度のことを指しています。

翻訳テク

The special position：「位置」という言葉で訳せば、ここは「この伯父が私の中で特別な位置を占めている理由」という感じで訳せます。

翻訳テク

Though younger than many men still working：「まだ働いている多くの人より若かったのに」という意味ですが、この部分は英語の文そのままに訳すよりは、わかりやすく訳したほうがいいと考え、「もっと年上で働いている人も多かったのに」と訳しました。

翻訳テク

he was said to be retired：リタイアを「現役を退く」といった言葉にすると「伯父はもう現役を退いたといわれていて」となります。

仕事しないでぶらぶらしていたので、子供の相手をしてくれたということです。

語彙・表現

a figure of fun：愉快な人物

クラウンとピエロの違いとは？ 意味を吟味した上でピエロと訳す

as a child may be of the painted, rowdy clown at a circus：顔に白粉を塗りたくった騒々しいサーカスのピエロ。may be of は直前の I was a little frightened of him, を受けて frightened が省略されていますが、とてもうまい表現です。赤ら顔の気のいい伯父さんなんだけど、でもちょっと怖かったという感じをサーカスのピエロと結び付けてうまく表現しています。

ところで、英語のclownはピエロ（pierrot）とは違うそうです。ピエロはフランス語。道化師をフランス人がアレンジしたものがピエロでその特徴は目の下に涙の粒を描いてあるところ。ペーソスを加えたということなんでしょう。

ということで、スティーブン・キング原作の映画『IT』やホアキン・フェニックス主演の『ジョーカー』に出てくるのはクラウンです。たしかによく見ると涙は描かれていません。

ここは、本来の意味で「道化師」と訳すべきかもしれません。しかし道化師には中世、王様とタメ口をきいて諌める存在のようなイメージもあったので、あえてピエロとしました。

左の写真は映画『IT』や『ジョーカー』に登場するタイプのクラウン（道化師）。右の写真は悲しげな表情で涙のメイクを施した本来のピエロ

翻訳テク some incident of drunken behavior witnessed：日本語には「酔態」という便利な言葉があるので、「多分何か酔態を目撃して」と訳しました。

翻訳テク at the edge of infancy：直接的に訳すと「幼児から子供になる瀬戸際のところで」。ここは「まだ幼かった私には」とシンプルに訳しました。

このあたりの文も子供が酔っ払った大人に感じる怖さがとても上手に表現されています。普段はいいおじさんなんだけど、酔っ払うとなんだか怖い。私事ですが、故郷・高知県にはかつて昼間から酔っ払って暴れているおじさんが大勢いたので、私にはこの感じは特によくわかるところです。

子供の微妙な感情を上手に描写

翻訳テク

at least would have said I did：「少なくともそういっただろう」。

would は仮定法で、「人に訊かれたら」という仮定が省略されていると考えられたので、「少なくとも人に訊かれたらそう答えていただろう」と訳しました。

ちょっと怖いけれど「それでも私は伯父が大好き」といったあとに、含みのあるこんないい方が登場しています。つまり本心から好きだったとはいっていないんですね。その微妙な感じをうまく表現しています。

語彙・表現

generous with small gifts：「気前よく贈り物をくれた」。generous with ～は「～をけちらない」。

翻訳テク

"too busy"：クォーテーションマーク付きの too busy は大人のいい訳を意味しています。子供が近づいたときに「ちょっと忙しいからあっちいけ」という感じです。

まとめ

小説の主要人物となるビル伯父さんが登場しました。一番年長の伯父であるのにもかかわらず、微妙な立場にあることが短い文章で説明されています。太っていて、いつも酔っ払っていて、上機嫌だけどどこか怖い……。子供から見たビル伯父さんの描写を読み取っていきましょう。

語り手が「私」の一人称小説の読み方・訳し方

"The Recording"は「私」が誰か（読者）に向かって、見たこと思ったことを叙述していくという一人称小説のスタイルです。

ただし小説の中に起こったことをすべて把握・理解して語っているわけではありません。わかっていないこと、気がついていないこともあるというのが大きなポイントです。

客観小説では背後の作者が誰の視点（ボイス）にするかカメラ（マイク）を移動させているのに対して一人称小説ではすべて「私」の視点（ボイス）に

固定されています。その語りの背後には当然作者がいます。作者がメタレベルから物語全体を見ているということになります。

実際には**一段高いところから物語全体を見ている作者の意図が「私」の言葉の選び方や表現に表れているというのが一人称小説の特徴**です。

一人称小説の「私」、日本語と英語の違い

したがって英語の一人称小説では、語り手である「私」が気がついていないことも多々あります。読者は作者によって周到に書かれた語り手の文を読みながら、語り手自身が気がついていない状況も悟っていくというスタイルが英語の一人称小説には多いのです。

しかし**日本には「私小説」という伝統があるためか、一人称小説の「私」を全能な存在として捉えがち**です。私が描き出す世界をそのまま信じる、また「私」に共感・同化して読みがちです。

一人称小説の私をどこかでヒーローのようにとらえてしまいがちなんですね。

このため、日本の読者には英語の一人称小説が理解されにくい（語り手が気づいていない事実に気がつかない）、受けない（ヒーローとしてとらえている語り手がヒーロー的でない）という面があります。

特に顕著なのが冒険小説です。一人称の冒険小説というのがありますが、日本とイギリスでは人気になるタイプがまったく違います。日本ではあくまでヒーロー的なかっこいい「私」が主人公の一人称小説です。

一方イギリスで受けている一人称の冒険小説によくあるのが、語り手の「私」が間抜けという設定なんです。間抜けな語り手がミッションの途中で女の子とムフフなことをしたり、いろいろ失敗しながらもミッションを遂行したりするという話がイギリス人は好きなんです。ダメ男が一人称で冒険を語る話。しかしこのタイプは日本で紹介しても全然受けない。

一番当たったのがブライアン・フリーマントルのチャーリー・マフィンシリーズ。あれはかろうじて日本人が許容できる範囲でした。あとは競馬シリーズの主人公のように不屈の精神を持ったかっこいい一人称の男が悪を退治していくというのしか日本では受けない。

このように一人称小説の読み方、受け取り方が日本と英語圏では大きく違います。翻訳をする上でもこれは大きな注意ポイントです。**「私」が語り手となる一人称小説を翻訳するときには、「私」が全能な語り手ではないということに留意する必要**があります。**どこかに作者の意図、思惑が表れた表現がないかに注意して読み、訳していく必要**があります。

【実践翻訳ゼミナール❸】

以下の英文を、色文字（語彙・表現）、下線（翻訳テク／注意！）、網のかかった箇所（翻訳指南）に留意しながら訳してみましょう。

❸ Why my uncle had promised me a present I have now quite forgotten. It was not my birthday, and not Christmas—I vividly recall the hot, dusty streets over which the maples hung motionless, year-worn leaves. But promise he had, and there was no slightest doubt in my mind about what I wanted.

Not a collie pup like Tarkington's little boy, or even a bicycle (I already had one). No, what I wanted (how modern it sounds now) was a phonograph record. Not, you must understand, any particular record, though perhaps if given a choice I would have leaned toward one of the comedy monologues popular then, or a military march; but simply a record of my own. My parents had recently acquired a new phonograph, and I was forbidden to use it for fear that I might scratch the delicate wax disks. If I had a record of my own, this argument would lose its validity. My uncle agreed and promised that after dinner (in those days eaten at two o'clock) we would walk the eight or ten blocks which then separated this house from the business area of the town, and, unknown to my parents, get me one.

❸ 翻訳スタート！

時間感覚を意識する

Why my uncle had promised me a present：「伯父がどうして私にプレゼントをする気になったのか」。そのあとに、I have now～　と「now」という言葉が出てくるのは、今（主人公が語っている時点）と50年前と区別して考えるようにということだと思います。この50年前と今の対比は、全編を通してあらゆるところに出てきます。

【宮脇訳】

伯父がどうして私にプレゼントをする気になったのか、今や詳しいことはすっかり忘れている。誕生日でもなかったし、クリスマスでもなかった――鮮明に覚えているのは、暑くて埃っぽい道路に楓の枝が、1年前から同じ葉をつけて、ぴくりとも動かずに垂れ下がっているところだ。しかし、伯父はプレゼントの約束をしてくれたし、私のほうも欲しいものは決まっていた。

ターキントンの本に出てくる少年と違って、コリーの子犬が欲しかったわけではなく、自転車さえいらなかった（もう持っていたのだ）。そうではなく、私が欲しかったのは（今だとあまりハイカラに聞こえないかもしれないが）、蓄音機にかけるレコードだった。ただし、決まったレコードが頭にあったわけではない。それでも、選べといわれたら、当時、流行していた漫談のレコードか、軍楽隊の行進曲に食指が動いただろうが、そのときはただ単に自分のレコードが欲しかっただけなのである。その少し前に両親が新しい蓄音機を手に入れたのに、やわな音盤に傷をつけたら困るといって私が使うのは禁じられていた。もしも私が自分のレコードを持っていたら、その理屈は通用しないことになる。伯父はうなずき、その日のディナーのあと（当時、ディナーをとるのは2時だった）、二人で8ブロックから10ブロック歩いて、あの頃はこの家と商店街との距離はそれくらいあったが、両親には内緒で、レコードを買ってもらうことになった。

出てきた順番に訳そう

注意!

I vividly recall the hot, dusty streets over which the maples hung motionless, year-worn leaves.：少々長いですが、順番にそって訳していきます。

「楓が枝を垂らしている熱くて埃（ほこり）っぽい道路」と**下から訳し上げるとイメージのつながり方がよくありません。**「暑くて埃っぽい道路に楓の枝が……」というように、まずはアメリカ南部の熱い道路、埃っぽい道路を出して、楓の木の枝に移り、1年前からついていてまったく動かない葉へと、順番に訳していきましょう。

語彙・表現

I vividly recall：「鮮明に覚えているのは」としました。
the hot, dusty streets：「熱くて埃っぽい道路」。たぶん南部、中西部からもっと南のほうの風景だと思われます。
motionless：「風が吹いていないので動かない」と解釈しました。
year-worn leaves：多分1年間ついている木の葉ということでしょう。

翻訳テク

Tarkington：ターキントンは20年代くらいに人気のあった作家。子供を主人公とした冒険もの、トム・ソーヤーのようなタイプの話を書いていました。アメリカ人でも若い人は知らないでしょう。しかし、今はインターネットで調べればいくらでも出てくるので調べてください。

「ターキントンの小さな子供」と訳すと近所のターキントン家の子供という意味にとれてしまうので、最低限**ターキントンが著者であることがわかるように「ターキントンの本に出てくる少年と違って」**と訳しました。

二つの解釈ができるhow modern

翻訳テク

how modern it sounds now：**how modernは「とってもモダンだ」と反語的な「少しもモダンではない」というまったく逆の2通りの解釈ができます。**そしてここにまたnowが出てきます。語り手のいる「今」と50年前のこととを関係づけて解釈していきましょう。

訳例では語り手のいる70年代におけるレコードはどんなものかを考え「今からみたら特に先をいっているわけではない」と解釈しました。

しかし、ほかの解釈もできなくはないことに気がつきました。

20年代、レコードは大人が聞くもので子供専用のレコードなどほとんどありませんでした。当時、レコードを欲しがる10、11歳の子供なんて珍しかったでしょう。つまりレコードを欲しがるのは今から考えると、とても先をいっている子という解釈も成り立ちます。訳例とは異なる解釈で「そうではなく私が欲しかったのは、今だと時代に先んじていたように聞こえるかもしれないが、フォノグラフレコードだった」というのも可能ではないかと考えています。

みなさんはどちらに解釈しますか？

語彙・表現

phonograph record：「フォノグラフレコード」。どっしりとした円盤型の78回転のレコード。レコードについてはこのあと、毎回違った表現が登場しているのにも注目しましょう。
if given a choice：それでも選べといわれたら
comedy monologues：「漫談」のことだと思われます。
military march：軍楽隊の行進曲

翻訳テク

record of my own：「私が所有しているレコード」。❷（80ページ）でhis recordについて述べたように英語の所有格はあいまいなので、my recordならいろいろな意味が出てきますが、この場合は「私の所有物であるレコード」という意味だけになります。**his recordとrecord of my ownの使い分けをしているので、意識して選んでいる表現**でしょう。

レコードは欲しかったけれど、漫談でも軍楽隊の行進曲でもどんなレコードでもよかった。なんでもいいから私が所有するレコードが欲しかった、というところです。

翻訳テク

wax disks：レコードの別のいい方です。厳密にいうとエジソンが発明したもので、蝋状のものに傷をつけて音を録音したタイプのレコードですが、ここでは普通の円盤型のレコードのことをいっているのだと思います。**delicateという言葉を強調するためにワックスという言葉を使ったのではないかと推定できる**ので、ここの訳は**「音盤」**くらいでいいと思います。

翻訳テク

this argument would lose its validity：「（もしも私が自分のレコードを持っていたら、）この理屈は有効性を失うだろう」という面白い表現をしています。「理屈は通用しないことになる」といった訳でよいかと思います。

両親が新しい蓄音機を買ったのだけど、レコードに傷をつけられては困ると「私」が蓄音機を使うことは禁じていたため、自分用のレコードが欲しくなったんですね。

agreeは動作として訳すこともできる

翻訳テク

agreed：agreeは「同意する」という意味ですが、**翻訳では「うなずく」という動作で訳すことが多い**言葉です。「おじさんはうなずいて約束した」ということになります。「同意して約束した」よりもわかりやすいのではないでしょうか。

順接の「～が」をうまく使って文をつなぐ

「が」は逆接だけではない

promisd that ～：that以下がすべてpromisedにつながった長い文になっています。しかし意味の塊に区分けしていくと「ディナーのあと」「当時ディナーは2時だった」「二人で8～10ブロックほど歩く」「当時はこの家と商店街の距離はそれくらいあった」「両親には内緒で」「レコードを買ってもらう」という内容がつながっていきます。ここは文体の特徴を生かすために、意味ごとに順番につなげて訳していきましょう。

そういうときに役に立つのが順接の「が」です。

「が」を適宜使うと、長い文がつながっていきます。

実は翻訳では「が」は避けたほうがいいという意見もあります。「が」は順接と逆接の両方で使う助詞なので意味があいまいになるというのがその主張です。しかし、**この短篇小説のように、文がいくつもつながって長いセンテンスとなっている文体は、順接の助詞「～が」を使うことでその特徴が生かされます。**最初から「～が」を避けることなく、文体に合う場合は「～が、～が」と使っていってもよいと思います。

語彙・表現

dinner：一番豪華な食事がディナー。この時代は、通常お昼がdinnerで夜は8時か9時くらいに簡単な食事supperを食べます。breakfast→dinner→ supperという順番で食べていきます。

翻訳テク

after dinner ～ we would walk the eight or ten blocks：「ディナーの後、二人で8ブロックから10ブロック歩くことにして」ということになります。家と商店街との距離が8～10ブロック離れていたということです。

ブロックは街の碁盤の目の1区画ですが、ニューヨークの1ブロックは縦が徒歩5分、横が徒歩15分の距離です。ニューヨークほど広くはないと思いますが、30～40分は歩かないといけない距離だと考えられます。

語彙・表現

unknown to my parents：両親には内緒で

まとめ

伯父さんが語り手にプレゼントをしてくれることになり物語が動きだします。両親には内緒で二人で街まで出かけ、レコードを買ってもらうことになります。なぜ語り手はレコードが欲しかったのか、街までの道のりはどんな感じだったのかも味わってください。

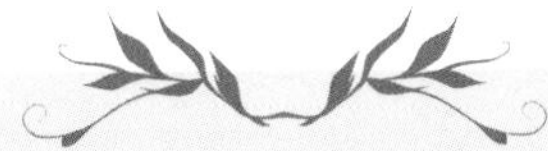

なぜターキントンの本を登場させたのか？

ジーン・ウルフは細部にまでこだわる作家なので、ターキントンの名前も、なんとなく出してきたのではなく、わざわざ出してきたと思われます。ターキントンの本の表紙の画像を見ると、少年と犬が出てくる表紙が多いんですね。Penrodという名前の少年が主人公のシリーズがあるんですが、この少年が11歳なんです。11歳の少年が子犬を連れて暴れまわったり、冒険したり、探偵ごっこをしたりする――ということから、語り手もこのとき11歳くらいだったのではないか。年齢については小説の中にほとんど出てきません（1か所だけ出てきます）。わざわざ「ターキントンのリトルボーイ」と名前を出しているということは、語り手の当時の年齢を暗示しているのではないかという気がします。

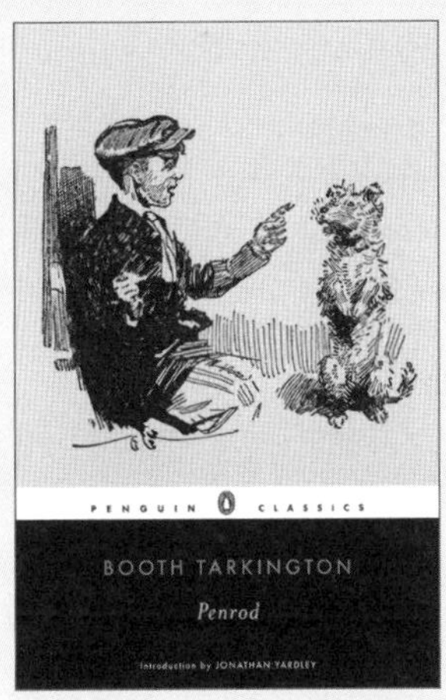

かつてアメリカで大変人気のあったターキントン。特にPenrodという少年が主人公の冒険小説が有名
Penrod / Booth Tarkington 著 / Penguin Classics 刊

【実践翻訳ゼミナール❹】

以下の英文を、色文字（語彙・表現）、下線（翻訳テク／注意！）、網のかかった箇所（翻訳指南）に留意しながら訳してみましょう。

❹ I no longer remember of what that dinner consisted—time has merged it in my mind with too many others, all eaten in that dark, oak-paneled room. Stewed chicken would have been typical, with dumplings, potatoes, boiled vegetables, and, of course, bread and creamery butter. There would have been pie afterward, and coffee, and my father and my uncle adjourning to the front porch—called the "stoop"—to smoke cigars. At last my father left to return to his office, and I was able to harry my uncle into motion.

From this point my memory is distinct. We trudged through the heat, he in a straw boater and a blue and white seersucker suit as loose and voluminous as the robes worn by the women in the plates of our family Bible; I in the costume of a French sailor, with a striped shirt under my blouse and a pomponned cap embroidered in gold with the word *Indomptable*. From time to time, I pulled at his hand, but did not like to because of its wet softness, and an odd, unclean smell that offended me.

❹ 翻訳スタート！

翻訳テク

I no longer ~ oak-paneled room.：ここも長い文で、コンマでつながって最後まで続きますが、翻訳でも同じ順番で訳していかないと流れが悪くなります。以下のように3つの部分に分けて、頭から訳していきます。

I no longer remember of what that dinner consisted / —time has merged it in my mind with too many others, / all eaten in that dark, oak-paneled room.

dinner：dinnerは「昼食」や「午餐」といういい方もありますが、ここでは「ディナー」と訳しました。

【宮脇訳】

ディナーに何が出たか、私はもう憶えていない——時の流れが、その日の食事を、おびただしいほかの食事と一緒にしてしまった。どの食事も、あの薄暗い、オーク材の鏡板が張られた部屋でとってきたのだ。典型的なのは、ルーでとろみをつけたチキンの煮込み料理だろう。それにダンプリングやポテトや茹で野菜が添えられ、もちろん乳製品製造所のバターをつけたパンも出た。それがすむとパイを食べ、コーヒーを飲み、父と伯父は玄関ポーチ——「ストゥープ」と呼ばれていた——に移って、葉巻をふかした。やがて父は仕事に戻り、そうなったら私は伯父を急かすことができて、いよいよ出かけていった。

そのあたりから私の記憶ははっきりしてくる。私たちは暑い中をてくてく歩いた。伯父はカンカン帽をかぶり、青と白のシアサッカーのスーツを着ていたが、締まりのないだぶだぶのスーツで、うちにあった家庭用聖書の一頁大挿絵に出てくる女性たちが着ているローブのようだった。私のほうはフランスの水兵の格好をして、横縞のシャツの上にジャケットをはおり、「負けじ魂」という意味のフランス語が金の糸で刺繍された、丸い飾り房のついた帽子をかぶっていた。ときおり私は伯父と手をつないだが、好きでそうしたわけではなかった。ぬめっとした柔らかさが嫌だったし、おかしな不潔な臭いがして、不快感を覚えた。

翻訳テク time has merged it in my mind with too many others：ここは50年間の時間の流れを上手に書いています。「時間が私の中でほかの多くの食事と一緒くたにしてしまった」ということですが、「時の流れがその日の食事をおびただしいほかの食事と一緒にしてしまった」と訳してみました。

適切な訳語に悩む建築用語

翻訳テク all eaten in that dark, oak-paneled room：**panelは訳すのに悩む言葉**です。材木をパネルにして壁に張り付けるという手法は日本にはないやり方のようです。羽目板というのが一番近いのかもしれません。ここでは「鏡板」としましたが。お能の舞台に張っている板を鏡板といい、そこから壁に張っているものも鏡板といっています。板張りですが安っぽくなく、ちょっと手の込んだ板張り。別のいい言葉がないかいつも悩んでいます。

ここは「どの食事もあの薄暗いオーク材の鏡板が張られた部屋でとってきたのだ」と訳しました。お祖父さんが建てた家はヴィクトリアン様式ですが、ヴィクトリアン様式の家は暗いです。壁もオーク材の鏡板ですから、黒っぽいこげ茶色のような壁です。

身体に悪そうなディナーの内容にも注目しよう ◀ 不健康さを訳す

Stewed chicken would have been ～：以下に典型的な南部のディナーのメニューが出てきます。訳例ではシンプルに訳しましたが、どんな料理なのかを読み込むことに意味があります。鶏の煮込みにダンプリング、ポテトに茹で野菜……ここに登場する料理はコレステロールたっぷり、炭水化物たっぷりで量も多そうで、いかにも早死にしそうな食事です。

作者は単に思いつきでこれらの料理を並べているわけではなく、こうしたものを毎日食べていたら長生きできないといった料理を出しているのだと思います。

stewed chickenを最初は「鶏の煮込み」と訳したのですが、健康そうに見えるので**もっと不健康そうに訳さないといけない**なとあとで思い返しました。

実は南部独特のシチュード・チキンという料理があり、香辛料をたくさん使って小麦粉のルーでどろどろにした煮込みらしいです。

「ルーでとろみをつけたチキンの煮込み料理」として、ちょっと不健康そうな感じを出そうとしました。血管が詰まりまくっているというイメージで書いているところだと思います。さらにダンプリングとポテトと茹で野菜（おそらくくたくたに茹でたものでしょう）がつき、さらにバターがたっぷりついたパンも出てきます。

creameryは「乳製品製造所」です。今はもうないようですが、牛を飼っている人が絞った生乳を持っていって、バターやチーズを作ってもらう設備だったようです。昔は乳業の大きな会社があるわけではなくて、街に絞りたての牛乳でバターやチーズを作る施設があったようです。このバターに関しては、できたてでおいしそうな感じがしますが、辞典の訳語をそのまま使って「乳製品製造所のバターをつけたパンが出た」としました。さらに食後にパイも食べています。こうした食事を毎日続けていたら身体にはよくないですね。お腹は出るだろうし、血管も詰まるでしょう。代々早死にしているのもわかるメニューだと思います。

しかもそのあと、葉巻を吸うので心臓にも悪いです。

最初は美味しそうだなという感じで読んでいきますが、あとで読み返すとコレステロールがたまりそうな不健康な食事を強調しているんだなあというのがわかってくる、そういう箇所だと思います。

語彙・表現

stoop：玄関のポーチ（front porch）もしくは玄関までの階段のことを米語でストゥープといいます。19世紀の作家ホーソンなども使っている古風な表現。

注意！

my father left to return：ここはleftでいったん切れるところです。「～するために残された」ではなくて、「父は去った、仕事場に戻るために」という意味でしょう。「父は仕事場に戻り」と訳しました。

翻訳テク

able to hurry my uncle：「伯父さんをせかすことができる」。すぐあとのinto motionとつなげ「伯父をせかすことができて、いよいよ出かけていった」と訳しました。

語彙・表現

distinct：はっきりと異なる（区別できる）、はっきり見える（聞こえる）
trudged through：すたすた歩くのではなくて、「てくてくとぼとぼ歩いた」という感じです。

カンカン帽、青と白のシアサッカースーツ、セーラー服

20年代のファッションを訳出

straw boater：boaterは「船乗り；船遊びをする人；カンカン帽」とリーダーズにあります。strawは麦藁ですから、「麦藁で編んだカンカン帽」と訳しがちですが、カンカン帽はみんな麦藁で編んでるんだそうですね。麦わら帽という訳も考えましたが、これでは捕虫網を持って走っている夏休みの少年が浮かんできますので、やはり「カンカン帽」だろうと思います。英語で書けばcancan hatかと思ったら、一説によると、叩くとカンカン音がするからカンカン帽なんだそうで、これ、日本語なんですね。

blue and white seersucker suit：青と白のシアサッカースーツなんですが、これだけだと青と白の色の配分がわかりません。このスーツは白地に縦の細かい青い縞が入っています。そこで「白地に細いブルーの縞が入ったシアサッカースーツ」とちょっと説明的に訳しました。（シア

サッカーはさらっとした肌触りの夏向けの生地）

遠くからですと少し青みがかった白のスーツに見え、近寄ると白地に縦の水色の縞がびっしり入って見えます。すごく細い縞です。ほかのサッカースーツはないようで青と白の縞のものだけのようです。

French sailor：語り手の服装はセーラー服。20年代に入ったばかりのころの子供の格好です。あとに続くwith a striped shirts under my blouse。blouseは日本語のブラウスではなくて、ジャケットかジャンパーのことです。訳すときに「ジャケットの下に横縞のシャツを」としがちですが、英語ではシャツを先に出しているので、その順番で訳したいです。「横縞のシャツの上にジャケットを羽織り」と**underを逆に訳すことで順番どおりに訳せます。**

この格好では普通帽子をかぶって、横縞のシャツの上にジャケットを着ています。作品が発表された70年代に年配の読者が読めば「昔、そんな格好をしていた」という人が何人もいたと思います。

翻訳テク

loose and voluminous：ピシっと着ているのではなく、だぶだぶな感じに着ています。すぐ太るので、大き目のやつを着ているのではないかと思いました。

そのあとに「聖書の挿絵に出てくる女性のローブみたいだった」と比喩が出ています。「しまりのないダブダブのスーツ」という訳でよいのではないでしょうか。

翻訳テク

the plates of our family Bible：「家族用の聖書」という大型のバイブルがあります。挿絵が全部1ページで入っていて、ここではそのページのことをplatesと表現しているのだと思います。「家庭用聖書の1ページの大挿絵」と訳せばよいでしょう。

聖書が意味ありげに登場

作者の体験にも関連あり？

作者のジーン・ウルフはカトリックなので、よく聖書を引き合いに出します。ここもわざと聖書というのを出していると考えました。

ここでは、語り手が信心深い家庭で育ったことを示しています。聖書の教えを吹き込まれている。だから罪の意識に敏感になります。あとまで読むと、語り手は罪の意識を50年間ずっと抱えていることが明らかになりますが、聖書の話もそうしたことと結びついているように思います。

この小説と同じようなことがあったわけではないのでしょうが、何か似たようなことが子供の頃にあったのではないか?とつい連想させられます。

翻訳テク

Indomptable：フランス語で辞書には「不屈」という意味が出ていましたが、「いうことをきかない」という意味もあるそうです。不屈はきつい感じがするので、「負けず嫌い」「負けじ魂」とやってもいいでしょう。直前のembroidered in gold with the wordを合わせて「"負けじ魂"という意味のフランス語が金の糸で刺繍された」というふうになります。もっとも、これはフランスの軍艦の名前ですから、そのままカタカナで「アンドンタブル」としてもいいでしょう。

翻訳テク

pulled at his hand, but did not like to ～：**pulled at his handは**「手をひいた」ですが**「手をつないだ」**としてもよいと思います。

「ときどき伯父さんと手をつないだけれども、好きでそうしたわけではなかった」とここも伯父さんに対して微妙な距離を感じさせる文です。本当に大好きな伯父さんだったらずっと手をつないでいるはずなのに、そうではなかったんですね。伯父さんの手を気持ち悪く感じているところなどの表現もうまいです。

語彙・表現

wet softness：手がぬめぬめと湿って、やわらかい感じ
odd, unclean smell：変な不潔な臭い

翻訳テク

offended：「怒らせた」という意味ですが、状況に合わせてみると、「怒らせた」ではなく、「不快にさせた」くらいの意味です。「私」が不快感を覚えたということでしょう。

まとめ

当時、一族は毎日どんなディナーを食べていたのか。食事の描写からどんな印象を受けたでしょうか。伯父さんのスーツや語り手の服装などディテールの描写にも注目です。そして暑い午後、語り手の伯父さんに対する感情が生理感覚を通して描かれています。

【実践翻訳ゼミナール❺】

以下の英文を、色文字（語彙・表現）、下線（翻訳テク／注意！）、網のかかった箇所（翻訳指南）に留意しながら訳してみましょう。

❺ When we were a block from Main Street, my uncle complained of feeling ill, and I urged that we hurry our errand so that he could go home and lie down. On Main Street he dropped onto one of the benches the town provided and mumbled something about Fred Croft, who was our family doctor and had been a schoolmate of his. By this time I was frantic with fear that we were going to turn back, depriving me (as I thought, forever) of access to the phonograph. Also I had noticed that my uncle's usually fiery face had gone quite white, and I concluded that he was about to "be sick," a prospect that threw me into an agony of embarrassment. I pleaded with him to give me the money, pointing out that I could run the half block remaining between the store and ourselves in less than no time. He only groaned and told me again to fetch Fred Croft. I remember that he had removed his straw hat and was fanning himself with it while the August sun beat down unimpeded on his bald head.

⑤ 翻訳スタート！

翻訳テク Main Street：昔のアメリカの小説の翻訳を読むと、どの田舎町にもこのメインストリートがあります。そして「本町通り」と訳されています。カタカナを使わずに訳せるので私も「本町通り」としました。

翻訳テク complained of feeling ill：「身体の不調を訴えた」という訳でよいと思います。なおfeeling sickだと「吐きそう」という意味になります。

語彙・表現 the benches the town provided：市当局、町当局が設置しているベンチ

【宮脇訳】

本町通りまで1ブロックのところで、伯父は体の不調を訴えた。私は、急いで用事を片づければ家に戻って横になることができる、といった。本町通りに入ると、伯父は町の当局が用意したベンチのひとつに座り込み、フレッド・クロフトのことを口にした。フレッド・クロフトとは、我が家の主治医で、伯父の同級生でもあった人である。その頃になると、私はもう気が気ではなく、不安で一杯になっていた。このまま帰ることになるのではないか、そうしたら蓄音機には（もう永遠に、と私には思えた）近づくことができなくなる。しかも、私は、いつもなら真っ赤な伯父の顔が蒼白になっていることに気がつき、きっと「吐く」のだと結論づけていた。そう思うと私は気恥ずかしさのあまり胸苦しくなった。私はどうかお金を渡してくれと懇願し、店まではあと半ブロックの距離だから走ればすぐに着くと説いた。伯父はうめいただけで、フレッド・クロフトを呼んでくれとまた口にした。今でも憶えているが、伯父は麦わらの帽子を脱ぎ、八月の日射しが禿げ頭にじかに照りつけるなか、その帽子で風を送っていた。

関係代名詞の前につくコンマに注意

翻訳テク

mumbled something about Fred Croft, who was our family doctor and had been a schoolmate of his：ここは**関係代名詞の前にコンマがあるので、いったんここで区切らなくてはいけません**。「フレッド・クロフトのことを口にした」。そして「フレッド・クロフトというのは我が家の主治医で伯父の同級生でもあった人だ」と訳していきます。

翻訳テク

frantic with fear：意味はわかるけれど訳しにくいところです。fear（恐怖）でfrantic（半狂乱の、必死の、取り乱した）になったと書いてあります。短い言葉でぴしっと表現できたらと思ったんですが「気が気ではなく不安でいっぱいになっていた」と訳しました。**気が気ではない状況として、fearを「恐怖」と訳すのは少々大げさすぎる**ので「不安」としました。

長い文の区切り方、訳し方 ◀ 後ろからの訳し上げは、次の文とつながらない

fear that we were going to turn back, depriving me (as I thought, forever) of access to the photograph：that以下はすべてfearにつながっていきますが、**fearで区切って、まずそこまでを訳して**しまっていいと思います。

また、that以降は、不安（fear）を感じる「私」の心の声ふうに訳せます。たとえば「このまま帰ることになるのではないか」「そうしたらもう蓄音機には永遠に私は近づけなくなるのではないか」という感じです。

注意!

初心者は「このまま帰ることになって、蓄音機にはもう永遠に近づくことはできなくなるのではないか、と不安でいっぱいになっていた」とthat以下から訳し上げてしまいがちです。しかし、**ここの文が「不安でいっぱいになっていた」で終わってしまうと、その次の文とうまくつながらなく**なってしまいます。訳例のように、順番に訳していくのが、訳しやすいですし、読んでわかりやすくなります。

語彙・表現

be sick　嘔吐する、吐く

辞書の定義にとらわれず状況に合った表現を考える

翻訳テク

a prospect that threw me into an agony of embarrassment：「その展開は私をembarrassmentのagonyに放り込んだ」とあります。つまり伯父さんが吐いているところに自分も一緒にいるのは恥ずかしくて耐えられないというわけです。**agonyを苦悩と訳すのは大げさ**なので、「胸苦しい」としました。「そう思うと私は気恥ずかしさのあまり、胸苦しくなった」という訳になりました。

語彙・表現

pleaded：歎願した、訴えた
only groaned：うめいただけ

翻訳テク

I remember that ～：**現在形で始まります。語り手の現在と過去をはっきり分けて**います。現在形をちょっと強調して「今でも覚えているが」という感じで、50年後の視点から書いていることを示すようにしましょう。

まとめ 伯父さんの具合が悪くなり、話が緊迫してきます。伯父さんの不調を描写する表現を丁寧に読みましょう。そして語り手が何を心配しているのか、その不安な様子も読み込みましょう。

何度読んでも発見と謎がある ジーン・ウルフ作品

ジーン・ウルフの短篇は一見さらっと読めます。しかし、あ**ちこちに落とし穴が仕掛けてあって、なんだかわけがわからないなと思って読み終える**ことになります。

2回目に考えながら読むと、だんだんわかってきて、3回目に読むと「すごいんじゃないか?!」と思う。読み返さないとそのすごさが全然わからない作家です。

"The Recording"もそうした作品でした。

長篇になったら少しは手加減するかと思ったら、全然手加減しません。短篇の密度でずーっと長篇が書かれていきます。その結果、やはりわけがわからないことがたくさんあり、ふわふわした印象しか残らなくて、「何が書いてあったんだろう」となる作家です。そして、**読み返していくうちに「あ、これはこういう意味か!」と深く納得し、驚きます**。

という謎の深いジーン・ウルフ作品については、**インターネットにも謎解きサイト**（英語）があり、読者が議論しています。みんないろいろなことに気がついて、意見を出しており「なるほどそうか」と。また別の人が「じゃあこれはどう?」と別な意見が出てくる。とりあえず、"Wolfe Wiki"でネット検索してみてください。

初期の代表作に「新しい太陽の書」という四部作があります。長篇四部作。これも何度読んでも読み切った気がしない。四部作を繰り返し繰り返し読んでいます。長篇傑作はほかにもいろいろあるんですが、なかなかそこへいけない（笑）。

四部作の一作目、二作目はまだわかるんです。しかし三作四作になるとだんだんわけがわからなくなっていく。最初はファンタジーだと思わせて、二作目でSFだったんだとわかる。ある時代に生きている人物の一人称で書いてあって、いろいろな商売のギルドに分かれていて、自分はどこのギルドに入っているといったことが何の説明もなく書かれています。「自分はタワーに住んでいる」とありますが、そのタワーが何なのかとは一巻目を読んだだけではわからない。二巻目を読むと使われなくなった宇宙船であることがわかる。ロケットなんです。ここでいきなりSFになります。

文明が一回滅んでしまった世界なんです。古いロケットなんかが宇宙空港にいっぱい残っているけれど、それの動かし方がわからないので、その時代の人はそこを住居にして、「タワー」に住んでいるといっている。このあたりはまだわかりやすいところです。

実は作品の舞台がどこなのか書いてない。そのうち「北へ行くと暖かくなった」という一節が一回だけ出てくる。あ、南半球か！ そこで、ようやく南半球だったんだと気がつくといった具合です。

こうした細かいヒントを見つけて意味がわかったときの快感は非常に大きいものですし、自分では気がつかず、ほかの人にいわれて「ああ、そうだったのか」ということもいっぱいあります。

ジーン・ウルフの小説を疑ってはいけない

彼は作品の設計をしっかりしている頭のいい作家のようです。読んでいくと、だんだん発想法がわかってきますので、それをあてはめるとほかの話もわかってくる感じですね。

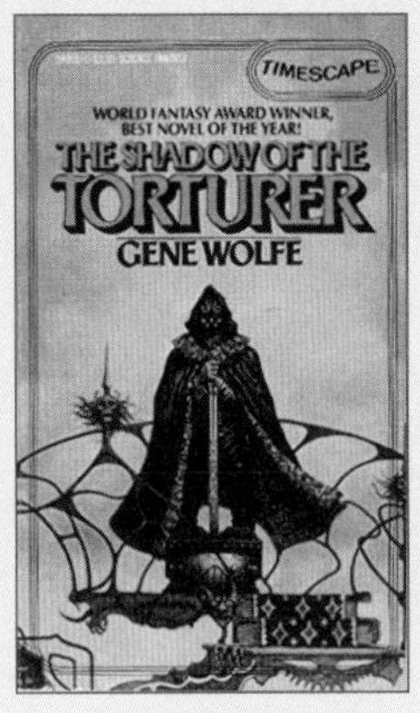

「新しい太陽の書」四部作は世界幻想文学大賞、ネビュラ賞などを受賞。翻訳版もあり
The Shadow of the Torture
(The Book of the New Sun 1)
Gene Wolfe著 / Simon & Schuster刊

なお、**ジーン・ウルフの小説は疑ってはいけません。作者の勘違いだろうとかそういうふうに絶対疑ってはいけない。書いてあるとおりに読まないといけない。無駄なことは何もないという前提のもとに読んで**ください。

前述したようにカトリックなので、読書体験の原体験が聖書なんですね。聖書に書いてあることは疑ってはいけない。全部正しいと思って読まないといけない。彼は自分の本もそういうつもりで書いています。

いかにもアメリカのカトリック作家だと思います。哲学的、思想的なテキストとして読んでいる人も多いようです。

『拷問者の影』(新装版 新しい太陽の書1)／ジーン・ウルフ著／岡部宏之訳／ハヤカワ文庫刊

【実践翻訳ゼミナール❻】

以下の英文を、色文字（語彙・表現）、下線（翻訳テク／注意！）、網のかかった箇所（翻訳指南）に留意しながら訳してみましょう。

❻ For a moment, if only for a moment, I felt my power. With a hand thrust out I told him, in fact ordered him, to give me what I wished. I remember having said: "I'll get him. Give me the money, Uncle Bill, and then I'll bring him."

He gave it to me and I ran to the store as fast as my flying heels would carry me, though as I ran I was acutely conscious that I had done something wrong. There I accepted the first record offered me, danced with impatience waiting for my change, and then, having completely forgotten that I was supposed to bring Dr. Croft, returned to see if my uncle had recovered.

In appearance he had. I thought that he had fallen asleep waiting for me, and I tried to wake him. Several passers-by grinned at us, thinking, I suppose, that Uncle Bill was drunk. Eventually, inevitably, I pulled too hard. His ponderous body rolled from the bench and lay, face up, mouth slightly open, on the hot sidewalk before me. I remember the small crescents of white that showed then beneath the half-closed eyelids.

❻ 翻訳スタート！

パワーをどう訳すか？

翻訳テク

I felt my power.：微妙なことを書いています。「私はパワーを感じた」。このpowerの訳し方はすごく難しいんですけれど、「伯父さんの上に立った」という意味だと解釈し、「私は自分が優位に立ったのを感じた」と訳しました。で、手を出して「金をくれ」といったわけですね。お願いするのをやめて命令したわけです。

翻訳テク

I remember having said：❺の最後の文と同じく現在形です。「実際にはこういったのを憶えている」。ということですね。

【宮脇訳】

一瞬、ほんの一瞬だけだが、私は自分が優位に立ったのを感じた。そして片手を差し出し、こちらが望むものを渡すようにいった。いや、命令したというのが正しいだろう。実際にはこういったのを憶えている。「医者（せんせい）を連れてくるよ。お金をちょうだい、ビル伯父さん。そしたら、連れてくるから」

それを受け取って、飛ぶような足で一目散に駆け出したが、走りながらも悪いことをしたのは痛いほど自覚していた。店では最初に薦められたレコードを買い、じれったく足踏みをしながらおつりを受け取り、クロフト医師を呼んでくるようにいわれたことなどすっかり忘れて、伯父が快復したかどうかを見に戻った。

見た目はそのようだった。私を待っているあいだに眠ったのだと思い、揺り起こそうとした。通りすがりの人が何人か私たちのほうを見てにやにや笑ったのは、たぶんビル伯父さんが酔いつぶれていると思ったのだろう。やがて、やむをえず、強く引っ張ることになった。伯父の巨体はベンチからごろんと落ち、顔を上げ、口を少し開けたまま、熱くなった歩道で私の横に転がった。半分開いた目蓋の下から、薄い三日月型になった白目が覗いていたのを、今でも憶えている。

続けざまに違う主語が出てきたときの訳し方

文構造はシンプルだが……

He gave it to me and I ran to the store：お金をもらって私が店に走るというところですが、andで二つの文がつながっています。前半は彼（伯父さん）が主語で、後半は私が主語です。

「彼が私にそれをくれて、私は～」と**短い範囲で違う主語が二つ**出てくるとわかりにくくなるので、普通こうした場合は、**最初のところは「私」の目線にして「（彼から）渡されたお金」と彼を主語に出さない**ようにします。

つまり「それを渡され（もしくは受け取って）、飛ぶような足で一目散で駆け出したが」となります。

ただ、**ジーン・ウルフの場合、前半と後半で主語を変えていることには何か意図があるかも**しれません。前半は彼を、後半は私を主語にして「彼はそれを渡した、私は走った」と訳すべきかもしれません。

翻訳テク

I was acutely conscious that I had done something wrong.：「（お金をもらったけれど、）悪いことをしたというのを痛いほど意識していた」という文です。「痛いほど」という言葉で主人公の後ろめたさを表しています。

翻訳テク

I accepted the first record offered me：「最初に薦められたレコードを買った」。何を買ったかは書いてない。実はそのことは作品全体にとって重要なところです。

翻訳テク

danced with impatience：地団駄を踏む感じ、「早く早く！」という感じです。「じれったく足踏みをしながら」と訳しました。

翻訳テク

In appearance he had.：直前の文を受け、hadの後にrecoveredが省略されています。「見た目はそのようだった」と訳しました。

翻訳テク

Several passers-by grinned at us, ～：カンマで文が続きますが、「通りすがりの人たちが何人か私たちのほうを見てニヤニヤ笑ったのは」で始めて、意味の区切れごとに順番に訳していきましょう。

語彙・表現

ponderous body：巨体

イメージのつながりに添って訳す

翻訳テク

His ponderous body rolled from the bench and lay, face up, mouth slightly open, on the hot sidewalk before me.：起きない伯父さんを強く引っ張ったところ倒れたというところです。まず「伯父の巨体はベンチからごろんと落ちて」と訳しました。

続いて、コンマで区切られながら4つのことが書かれていますが、**イメージのつながりが一番わかりやすい順番に書かれている**ので、そのまま訳していきましょう。「横になった」「顔を上げていた」「口が開いていた」「そこは日に焼けた熱い歩道だった」ですね。これを一つの文につなげていきます。

「顔を上げ少し口を開けたまま、私の目の前の熱い歩道に転がった」と訳しました。

翻訳テク

I remember ～：ここも出だしにI rememberと現在形が使われているので「今でも覚えているが」と書き始めるとよいでしょう。

視覚的怖さを感じ取って訳す

翻訳テク

the small crescents of white：ここは**映像的に一番怖いところ**だと思います。「薄い三日月型になった白目が半分開いた瞼の下からのぞいていた」。目が閉じていたわけではなくて、ちょっと開いていた。でも目が裏返っているので、黒目が見えずに白目だけが三日月型になって見えてたということです。

まとめ

医者を呼んできてほしいと頼む伯父さんから、無理にお金を受け取り、苦しむ伯父さんを残してレコード店に駆け込んだ語り手。レコードを買って戻ってきた語り手が目にしたものは……。小説の中でも最も怖いところです。

【実践翻訳ゼミナール❼】

以下の英文を、色文字（語彙・表現）、下線（翻訳テク／注意！）、網のかかった箇所（翻訳指南）に留意しながら訳してみましょう。

❼ During the two days that followed, I could not have played my record if I had wanted to. Uncle Bill was laid out in the parlor where the phonograph was, and for me, a child, to have entered that room would have been unthinkable. But during this period of mourning, a strange fantasy took possession of my mind. I came to believe—I am not enough of a psychologist to tell you why—that if I were to play my record, the sound would be that of my uncle's voice, pleading again for me to bring Dr. Croft, and accusing me. This became the chief nightmare of my childhood.

To shorten a long story, I never played it. I never dared. To conceal its existence I hid it atop a high cupboard in the cellar; and there it stayed, at first the subject of midnight terrors, later almost forgotten.

Until now. My father passed away at sixty, but my mother has outlasted all these long decades, until the time when she followed him at last a few months ago, and I, her son, standing beside her coffin, might myself have been called an old man.

❼ 翻訳スタート！

語彙・表現

laid out：lay outは「棺に入れて安置する」です。納棺したあとで、故人の死に顔を見にこられるようにしてあります。その前に聖職者が納棺式を行ったはずです。伯父さんは蓄音機の置いてある広間に安置されたため、レコードをかけたくてもかけられなかったと書いてあります。

for me, a child,：私のような子供にとって

strange fantasy：異様な妄想

took possession of ～：～に取り憑いた

翻訳テク

I came to believe—I am not enough of a psychologist to

【宮脇訳】

そのあとの二日間、レコードを聴きたくても、かけることができなかった。ビル伯父さんは蓄音機が置いてある広間に安置されていて、私のような子供にとって、その部屋に入るのは考えられないことだった。だが、喪に服しているあいだに、異様な妄想が私の心に取り憑いた。その結果、私はこう信じるようになったのだ――心理学には詳しくないので、なぜかという説明はできないが――もしもあのレコードを再生したら、そこから聞こえてくるのは伯父の声で、その声がクロフト医師を連れてきてくれと懇願し、私を責めるのだ、と。それが少年時代に一番多く見る悪夢になった。

話せば長いことながら、手短にいうと、私は一度もそのレコードをかけたことがなかった。そうする勇気がなかった。その存在自体を消すため、地下室にある丈の高い戸棚の一番上に隠した。そして、そのままになった。最初は真夜中の恐怖であったものが、のちにはほとんど忘れ去られたのである。

そして、今に至る。父は六十で世を去ったが、母はそののち何十年も長生きして、数か月前にようやく父のあとを追った。その息子である私、母の棺の横に立っていた私も、人からは老人と呼ばれるかもしれない。

tell you why—that if I were to play my record, the sound would be that of my uncle's voice, pleading again for me to bring Dr. Croft, and accusing me.：「私」の心に取り憑いた妄想がどういうものかが書かれています。まず**「私はこう信じるようになったのだ」から始めて、順番に訳していきます。**次の not enough of a psychologist（十分な心理学者ではない）とあるのは、「心理学には詳しくないので」と訳せばいいでしょう。

もしレコードを再生したら、「医者を連れてきてくれ」という伯父さんの死にかけの声が聞こえてくるかもしれないという妄想を持つようになったわけですね。

語彙・表現　the chief nightmare：一番よくみる悪夢

翻訳テク

To shorten a long story,：「手短にいうと」。ここで時間が飛びます。「話せば長いことながら手短にいうと」とちょっと余計な言葉も入れて訳してみました。

語彙・表現

I never dared.：そうする勇気がなかった。

atop a high cupboard in the cellar：「地下室の高い戸棚の一番上」。atopは「頂上に」という副詞。

there it stayed：そのままになった

翻訳テク

Until now.：50年ずっと忘れていたレコードのことを急に思い出したということを、Until now.だけで表現しています。「これまでは」とか「今までは」と訳す人がけっこう多いのですが、それだとちょっと落ち着かない。**ちゃんとセンテンスにして訳すのがコツ**です。「そして今に至る」と訳しました。

唯一具体的年齢が登場する場面 意味していることは何か

結末への伏線を読み取ろう

My father passed away at sixty：自分のお父さんは60歳で死んだと書いてあります。この作品では年齢がほとんど書かれていないのですが、ここははっきり書いてあります。50年前と60歳というのだけはっきり書いてあるんです。

これは**結末に向かっての伏線として出てきていると考えられます。**「私」のおじいさんも、お父さんも自分もみんな似ていると最初に書いてあった。そして、父が60歳で死んでいる。ならば**語り手も60歳で死ぬ運命にあるんじゃないか？**と思わせます。

50年前にターキントンの主人公と同い年、10歳か11歳だったとすると、今60歳か61歳になっているということになっています。

ここで、60歳という年齢が出ているのは、語り手も60歳を過ぎ死期が近づいているのではないか？という意味合いになります。

このような伏線を読み取っているのといないのとでは、訳文の深みが違ってきます。

語彙・表現

these long decades：何十年

翻訳テク

I ~ might myself have been called an old man.：母親のお葬式のときに参列者が棺の横に立っている「私」を見て「息子さんも老人だね」といったかもしれないということが書かれています。「老人といわれていたかもしれない」と。ここは**「人からは」をつけないと日本語としておさまりが悪い**ので、「人からは老人といわれていたかもしれない」と訳しました。

　こうした描写からも「私」も年取っている、多分60歳くらいだろうというのがわかるようになっています。

まとめ 伯父さんの死後、少年だった語り手にはある妄想が取り憑き、レコードを封印しました。そして時間は一気に飛び、「今」の語り手のところに戻ってきます。語り手の母親が長生きして最近亡くなったこと、一方父親はかなり早くに亡くなったことが明らかになります。どこか暗い不吉な空気が漂っています。

【実践翻訳ゼミナール❽】

以下の英文を、色文字（語彙・表現）、下線（翻訳テク／注意！）、網のかかった箇所（翻訳指南）に留意しながら訳してみましょう。

❽ And now I have reoccupied our home. To be quite honest, my fortunes have not prospered, and though this house is free and clear, little besides the house itself has come to me from my mother. Last night, as I ate alone in the old dining room where I have had so many meals, I thought of Uncle Bill and the record again; but I could not, for a time, recall just where I had hidden it, and in fact feared that I had thrown it away. Tonight I remembered, and though my doctors tell me that I should not climb stairs, I found my way down to the old cellar and discovered my record beneath half an inch of dust. There were a few chest pains lying in wait for me on the steps; but I reached the kitchen once more without a mishap, washed the poor old platter and my hands, and set it on my modern high fidelity. I suppose I need hardly say the voice is not Uncle Bill's. It is instead (of all people!) Rudy Vallee's. I have started the recording again and can hear it from where I write: "*My time is your time*...*My time is your time*." So much for superstition.

❽ 翻訳スタート！

語彙・表現

And now：「今」が出てきたので、語り手の「現在」の話です。

reoccupied our home：再びoccupyしているということは、一時期ほかのところに住んでいたけれど、戻ってきたということでしょう。

To be quite honest,：打ち明けた話

翻訳テク

my fortunes have not prospered：お金持ちにはなれなかったという意味です。

「私は財を築けなかった」といった訳でいいと思います。

翻訳テク

though this house is free and clear：freeもclearもどちらも「借

【宮脇訳】

今、私はまたこの家に住むようになっている。打ち明けた話、私は財を築くことができなかったし、この家が抵当に入っていないのはありがたいものの、家以外、母から遺されたものはほとんどなかった。昨夜、かつて何度も食事をしてきた古い食堂で、ひとり夕食をとっていたとき、ふとビル伯父さんのこと、あのレコードのことを思い出したが、しばらくのあいだ、どこに仕舞い込んだのか記憶があやふやで、ひょっとしたら捨ててしまったのか、とさえ思った。今夜、その記憶が甦り、医者からは階段を使うのを禁じられていたが、古い地下室への道をたどり、分厚い埃をかぶったレコードを見つけた。上り階段では胸痛（きょうつう）が待ち伏せしていたが、災難に見舞われることなくまたキッチンに戻り、情けない状態の古レコードと自分の手とを洗い、私が持っている最新のハイファイにかけた。いうまでもないと思うが、聞こえてきたのはビル伯父さんの声ではなかった。聞こえてきたのは（誰あろう！）ルディ・ヴァリーの声だったのだ。さっき、録音されたものをもう一度かけてきたので、今、これを書いているところにもその歌声は届いている。「二人で過ごそう、同じ時間を……同じ時間を」。正体見たり、である。

金のかたになっていない」という意味です。freeだけでもclearだけでもいろいろな意味がありすぎて、迷いますが、**二つ重ねれば、借金のかたになっていない、抵当に入っていないということがはっきり**します。

多分これまではアパート暮らしをしていたのかもしれません。母親が亡くなって遺産として受け継いだのでもう家賃を払わなくていいということで、ここに暮らし始めたといったことのようです。そういう状況を踏まえて「この家が抵当に入っていないのはありがたいものの」と訳しました。私が家を受け継ぐまで、レコードは地下室の棚で埃をかぶっていたということになります。

そして昔から食事をしてきた食堂で夕食をとっているときにビル伯父さんとレコードのことを思い出した。どこに隠したか忘れていたけれど、今夜急に思い出したというわけです。

翻訳テク

I should not climb stairs：階段を上ってはいけないと医者に止められているとあります。（たいていの場合階段は上ったり下りたりするので）「階段を使ってはいけない」と訳しました。「私」は心臓が悪いということがここで描かれています。

翻訳テク

I found my way down to the old cellar：found my way は「道を見つけた」のではなく、道を「たどった」という意味でしょう。「古い地下室への道をたどり」と訳しました。**ちょっと古めかしいいい方、文章語的ないい方**をしています。

翻訳テク

my record beneath half an inch of dust：「半インチの埃の下で」レコードを見つけたとあります。半インチってオーバーないい方ですね。分厚い埃でいいと思います。「分厚い埃をかぶったレコード」と訳しました。

語彙・表現

chest pains 胸の痛み、胸痛
lying in wait：「待ち伏せする」という意味。

翻訳テク

There were a few chest pains lying in wait for me on the steps：chest pains 以下は「私」が健康を害していることが書いてあります。

on the steps とあるのはたぶん、地下室に降りるときは大丈夫だったけれど、階段を上るときに胸が痛くなったということでしょう。

「上り階段では胸痛が待ち伏せしていたが」と訳しました。

翻訳テク

I reached the kitchen once more without a mishap：mishap は「災難」。ここは「大事」に至らずにキッチンに戻った、ということになります。

翻訳テク

the poor old platter：「情けない状態の古レコード」と訳してみました。レコードのことをここでは platter といっています。毎回レコードを違ういい方で表現しています。これは意図的にやっていることだと思います。

そして「レコードを洗った」とあります。埃をかぶっていたので洗ったのだと解釈しました。

オーディオマニアは中古レコードを水で洗う

疑問があればどんどん調べよう

washed the poor old platter：「レコードを洗った」という表現に驚くかたもいるかもしれませんが、オーディオマニアは中古レコードを買ってくると自分で洗って、干しておくそうです。蒸留水が一番いいみたいです。洗剤やクリーナーを使うとこすりつけるので傷がついてしまう。そんなに汚れていないものならクリーナーでよいのですが、中古レコード屋で買ってきたものだと本当に埃が深く溝に入っていたりしますので、水で流してあまりこすらずに洗って干すというのはレコードをいまだに使っているオーディオマニアはよくやっています。

ただしこの小説の「私」は別にオーディオマニアではないので単に埃っぽくて、そのままではかけられないので、水で洗ったのでしょう。音をよくしようという思いではなく。埃をとるためにごしごし洗ったのかもしれません。

翻訳テク

set it on my modern high fidelity：「モダンなハイフィデリティにセットした」とあります。modern は「最新」でいいと思います。「最新のハイファイにかけた」と訳しました。

まだ CD がない時代ですので、最新のレコードプレーヤーとは再生速度が78回転から全部できるようになっているのだと思います。

ただ、20年代のレコードは LP ではなく SP などのはず。レコード針はどうしたのだろうという疑問は残ります。SP と LP とでは音溝の幅が違うそうです。

翻訳テク

I suppose I need hardly say：「いうまでもないと思うが」。

この文から「落ち」に入っていきます。伯父さんの声が聞こえてくるんじゃないかと思って怖かったけれど、聞こえてきたボイスはビル伯父さんのものではなかったというところです。

翻訳テク

It is instead (of all people!) Rudy Vallee's.：of all people は「誰あろう、よりによって」という感じです。この文は「聞こえてきたのは誰あろう、ルディ・ヴァリーだった」と訳しました。「今」である70年代にはルディ・ヴァリーは忘れられかけていたはずで、予想外だったわけです。

意味ありげに選ばれた言葉の訳し方

なぜrecordを使わないのか?

I have started the recording again：「再びレコードを回した」とあるのですが、recordではなくrecordingという言葉が使われています。これは意味ありげなところです。

recordingは正確には「録音されたもの」。ですからレコードをかけたではなくて「録音されたものをもう一度かけてみた」のように訳しました。**意味ありげなところは、そのまま意味ありげに訳します。**

翻訳テク

can hear it from where I write：レコードプレーヤーがある部屋とは別の部屋に「私」はいて、この文章を書いているということが明らかになります。書きながら、もう一回レコードをかけてきたわけです。

「今これを書いているところにもその歌声は響いている」という感じだと思います。

歌詞の内容に注目

単語timeへの深い洞察が必要

My time is your time：「私」が今聞いているルディ・ヴァリーの歌は"My Time Is Your Time"です。YouTubeで簡単に聞けますので、翻訳する際には実際に聞いてみましょう。

歌詞に登場するtimeはダンスのリズムのことです。「君とぼくは同じリズムで踊っている」という意味です。拍子です。三拍子、四拍子という拍子のことをtimeといいます。歌詞の内容としてはダンスの歌で、踊ろうよと声をかけて、「君とぼくは同じリズムで踊っている」といっている。

ただし、timeは「寿命」という意味もあります。つまり私の寿命は君の寿命という意味にもなる。英語だけみると「私の寿命はお前の寿命」。つまり私と同じ歳にお前も死ぬんだということを予言している言葉にも見えます。「オレが死んだ歳にお前も死ぬ」――伯父さんの呪いのようにも聞こえてくる歌です。

この歌詞の持つ深い意味合いは訳しようがないですが、リズムを「時間」として「二人で過ごそう、同じ時間を」と訳してみました。

気がついていない
語り手の言葉で終わる小説

実は死の予告だった?……

So much for superstition.：歌詞は「おれの寿命はお前の寿命だ」と伯父さんのメッセージのようにも読めますが、**語り手本人はそのことに**

気がついていません。伯父さんの呪いの声が聞こえてくると思っていたところ、ルディ・ヴァリーのヒット曲だった。だから「私」は「なんだ」と安心して、「迷信はこれで終わり」ということで終わっています。

読むほうは、「お前、気がついていないだろうけど、これは呪いの声だぜ」といいたくなるところで終わっている。もしかすると「私」は今日、明日にも死ぬかもしれない。しかしこうしたことは書かれていないので訳者が勝手につけ加えるわけにはいきません。

最後のところの訳し方としては「幽霊の正体見たり、枯れ尾花」という感じかな?と思いました。そのままですと「和臭」がつきすぎる気がするので、「幽霊の正体見たり」にするか「正体見たりである」かだと考え「正体見たりである」としました。

本人は安心しているんだけど、ちゃんと意味がわかって読んできた人は「あ、この人、死ぬんだ」と思って、終わる小説です。

まとめ

語り手が今は子供時代に住んだ家に暮らしていることがわかります。そして伯父とのことを記しながら、長らく封印していたレコードのことを思い出し、ついに聴きます。どんなレコードだったのでしょうか。そしてこのエンディングの意味は?

ルディ・ヴァリーの曲をめぐる、さらに怖い推論

ルディ・ヴァリーが1929年に録音した音源が2013年にCDで復刻された *Rudy Vallee #1 All Recorded 1929* / M.C.Productions Vintage Recordings

ルディ・ヴァリー（1901-1986）はシンガー、バンドマスター、俳優として活躍した人で、懐メロの有名人という感じです。70年代では知っている人はまだまだいっぱいいたと思います。翻訳するにあたっては実際に“My time is Your Time”がどんな歌かを聴いてみてください。YouTubeで簡単に聴けます。

なお、ルディ・ヴァリーは**声が弱弱しいことで有名で、冥界からのメッセージぽく聞こえるという作者の意図**があるのではとも思いました。

実はYouTubeのコメントに「ジーン・ウルフの小説を読んでここに来ました」というのがけっこうありました（笑）。やはり気になって検索したくなったんですね。

ところでこの曲をめぐって、私はもう一つ怖い推論を持っています。

この曲は1929年発表です。一方、小説は1972年の発表です。語り手の「今」は発表時と考えられ、そして50年前の話が描かれています。つまり1922年前後の話ではないかと推測されます。

それなら10歳ほどの少年だった「私」がレコード屋に行ったときにこのレコードは存在していなかったのではないか？　**実際買ったのは別のレコードだったのがいつのまにか変わった。伯父さんが墓場の中からメッセ―ジを伝えるために録音を変えてしまった……という解釈もできる**のです。こうなると、いきなりファンタジー作品になります。22年頃には売っていなかったレコードの音が聞こえている……とさらに怖さがじわじわときませんか？

ただし、この推論は一つ問題点もあります。

小説の冒頭で「A型フォードの車が走り回っていたころ」とあるところです。A型フォードが発売されたのは1927年。それが走り回っているのは20年代末から30年代となり、その場合はルディ・ヴァリーの曲はすでに発表されていたということになるからです。

ただ、小説全体の時代設定はこのA型フォードへの言及がある箇所以外は1920年代前半を意識していると考えられます。

「レコードに怪奇現象が起きた」説を推したい私が思ったのは「語り手（私）がA型フォードとT型フォードを取り違えて語った」説です。作者のジーン・ウルフが間違えたのではないか?という考えもよぎりますが、「ジーン・ウルフは間違えない」という立場をとりたいので、ここは老人となった語り手が勘違いをしたとしたい。

たとえば、原文に「Model A Ford touring cars」とあります。私は自動車に関してはまったく門外漢ですが、ツーリングカーといえば、いわゆる「オープンカー」を思い浮かべます。A型フォードは何種類もあるようですが、セダン型、つまり四角い箱の形をしているのが主流で、「Model A Ford touring *sedans*」という表現を見たことがあります。語り手はそれを混同して、「Model T Ford touring cars」という代わりに、「Model A Ford touring cars」といってしまったのではないか、というのが私の仮説です。

皆さんはどのように考えられるでしょうか。

A型フォード・ツーリングセダン

T型フォード・ツーリングカー

アシモフもハッピーエンドだと思っていた?

この歌を知っている年代の読者は「ああ、ルディ・ヴァリーの曲でよかったね」と思った人が多かったようです。実際に歌や歌手のことを知っている世代は歌詞の内容などあらためて考えませんが、知らない人は文字をたどり、タイムには寿命という意味があるよなあと思って、いろいろ調べ始める。20年代の初めのヒット曲?とこの歌の発表された時期を調べるということになります。

この短篇はいろいろなアンソロジーに収録されています。SF作家のアイザック・アシモフが編んだ傑作選にも入っていますが、そのときアシモフが冒頭につけた内容紹介の一行コメントが話題になりました。

“At last! Calling it like it is!”

というものです。

この英語自体難しいですよね。

call it like it isとは、直訳すれば「それをあるがままに呼ぶ」ですが、口語的な表現で、「ある事実を現実的に正面から見据える」という意味です。つまり、

「とうとう本当のことがわかってよかったね！」
とでも訳せるコメントです。

ところが、このコメントに、ジーン・ウルフ自身が反応しました。"The Recording"を自分の短篇集（*Storeys from the Old Hotel*）に入れたとき、前書きにこう記したのです。

"The Recording" drew the comment, "At last! Calling it like it is!" from Isaac Asimov. If that isn't enough to make you want to read it, what would be?

"The Recording"はアイザック・アシモフから「とうとう本当のことがわかってよかったね！」というコメントを引き出した。それによって読みたくならない人がいるとしたら、いったいどうしたら読みたくなるのだろう？

あえて直訳調にしましたが、ウルフが皮肉をいっているのは明らかです。そのことから、ひょっとしたらアイザック・アシモフはこの作品の落ちに気がついていないのでは？という憶測が読者のあいだに広がりました。

アシモフはルディ・ヴァリーの歌をリアルタイムに聴いていた年代なので、懐メロが聞こえてきて、ああよかった、伯父さんの声じゃなくて！と思ってしまったのかもしれません。

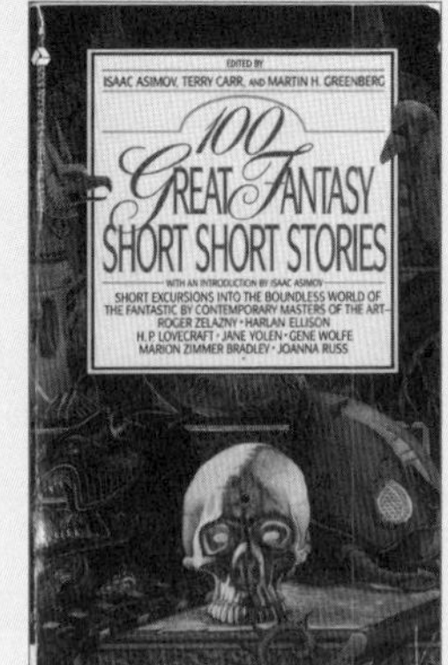

"The Recording" が収録された、アイザック・アシモフによるアンソロジー
100 Great Fantasy Short Short Stories / Isaac Asimov 他編 / Avon 刊

【第三章】

長篇
冒頭

The Burning Court

—— Chapter One ——

火刑法廷 第一章

by John Dickson Carr

ジョン・ディクスン・カー

ミステリにしてホラー
複雑な構造の作品を
いかに訳すか？

暗喩やほのめかし表現が満載の
ディクスン・カーの人気作品。
冒頭部分を訳してみよう

難易度

語彙 ★★★　文章 ★★★　察知力 ★★★

まずは次ページから作品に目を通してください➡➡➡

【課題英文】

次の英文を、「暗喩やほのめかし」「誰の視点か」に気をつけながら読んでみましょう。

The Burning Court

— Chapter One —

by John Dickson Carr

❶ "There was a man lived by a churchyard—" is an intriguing beginning for a story left unfinished. Edward Stevens also lived by a churchyard, in more senses than one: which is the soberest possible statement of the fact. There was a miniature of the sort next door, of course, and the reputation of Despard Park had always been unusual; but that was not the most important churchyard.

❷ Edward Stevens, who was not much different from you or me, sat in a smoking-car of a train which would reach Broad Street station at 6:48. He was thirty-two years old, and he had a tolerably important position in the editorial department of the publishing house of Herald & Sons, Fourth Avenue. He rented an apartment in the East Seventies, and owned a cottage at Crispen outside Philadelphia, where he spent many weekends because both he and his wife were fond of that countryside. He was going there to join Marie on this Friday evening (which was in the far-off days of spring, 1929); and in his briefcase was the manuscript of Gaudan Cross's new book of murder-trials. Such, baldly stated, are the facts. Stevens himself now admits that it is a relief to state facts, to deal with matters that can be tabulated or arranged.

❸ It must be emphasized, too, that there was nothing unusual about the day or the evening. He was not stepping across a borderland, any more than you or I step across it; he was simply going home. And he was a robustly happy man with a profession, a wife, and an existence which suited him.

The train was on time at Broad Street. He stretched his legs round the station, and saw on one of the black number-boxes over the gates that he could get a train for Crispen in seven minutes: an express, first stop Ardmore. Crispen is some thirty-odd minutes out on the Main Line, the next stop after Haverford. Nobody has ever yet discovered why there should be a stop or a separate division there at all, between Haverford and Bryn Mawr. There were only half a dozen houses, all set very far apart, on the way up the hill. But it was (in a way) a community of its own: it had a post-office, a druggist's, and a tea-room almost hidden in the noble copper beeches where King's Avenue curved up to Despard Park. It had even—though this was scarcely either customary or symbolical—an undertaker's shop.

❹ This undertaker's had always surprised and puzzled Stevens. He wondered why it was there, and who patronized it. The name *J. Atkinson* was on the windows, but in letters as discreet as a visiting-card. He had never seen so much as a head or a movement beyond those windows, which displayed a couple of shapeless little marble blocks—presumably you stuck flowers in them—and black velvet curtains run waist-high on brassy rings. Of course, it was not to be presumed that an undertaker's anywhere drove a roaring trade, or that a stream of eager customers would constantly animate its doors. But undertakers, by tradition, are merry men; and he had never seen J. Atkinson. It had even given him the vague germ of an idea for a detective-story. The plot (he thought) should concern a mass-murderer who was an undertaker, and was thus able to explain the presence of inconvenient bodies in his shop.

❺ But, after all, J. Atkinson had probably been called in at the death of old Miles Despard so recently....

If there were any reason why Crispen existed at all, that reason was Despard Park. Crispen had been named after one of the four commissioners who, in the year of grace 1681, had been sent out to prepare the site of a city in the newly ceded territory of Pennsylvania, just before Mr. Penn himself came to make peace with all men in the gracious woods between the Schuylkill and the Delaware. William Crispen, a kinsman of William Penn, had died on the voyage out. But a cousin named Despard (the name, according to Mark Despard, was originally French and had undergone some curious changes of spelling) had obtained a grant of land in the country, and there had been Despards at the Park ever since. Old Miles Despard—that stately reprobate, the head of the family—had died less than two weeks ago.

❻ Waiting for his train, Stevens wondered idly whether Mark Despard—the new head of the family—would drop in for a chat that night, as he usually did. Stevens's cottage was not far from the entrance-gates of the Park; they had struck up a friendship two years ago. But he hardly expected to see either Mark or Lucy, Mark's wife, tonight. True enough, old Miles's passing (he had died of gastro-enteritis, after reducing the lining of his stomach to a pulp with nearly forty years' high living) would be not much lamented: old Miles had lived so much abroad that the rest of the family scarcely knew him. But there would be a great deal of business on the skirts of death. Old Miles had never married; Mark, Edith, and Ogden Despard were the children of his younger brother. Each should inherit substantially, Stevens thought without great interest.

❼ The entrance-gates to the station platform had rattled open now; Stevens swung aboard the Main Line train and pushed forward to the smoking-car. The spring night had turned from grey to black. But even in the gritty air of the shed, even in the thick air of the car with its pale dispirited roof lights, there was a smell of spring that would stir the blood in the countryside. (This led his thoughts to Marie, who would meet him at Crispen with the car.) The train, less than half full, had its usual somnolent air of people crackling fat newspapers and blowing smoke over their shoulders. Stevens settled down with his briefcase across his knees. With the idle curiosity of a contented man, he fell to turning over in his mind two rather puzzling happenings which had been occurring to him all day. It was characteristic of the man that he did not try to reason them out; he only tried to devise imaginative explanations which would fit them.

作者はこんな人

John Dickson Carr ジョン・ディクスン・カー（1905-1977）
アメリカ、ペンシルヴェニア州生まれ。カーター・ディクスンというペンネームも使っていた。日本ではディクスン・カーの名で親しまれている。1930年に発表した『夜歩く（*It Walks by Night*）』が評判となり専業作家に。ギデオン・フェル博士、ヘンリー・メリヴェール卿、アンリ・バンコラン、マーチ大佐などのキャラクター、シリーズがある。代表作は『三つの棺（*The Three Coffins*）』『曲がった蝶番（*The Crooked Hinge*）』『ユダの窓（*The Judas Window*）』など。

宮脇メモ ディクスン・カーはその昔「怪奇探偵小説家」と呼ばれていました。初期の作品では、魔女や幽霊が犯人でないと成り立たないようなものを多く書いています。読者が犯人は悪魔かもしれない、あるいは魔女かも、幽霊かも、と思い始めたときに、合理的に全部説明してしまう。そういうオカルト風探偵小説をかなり書いています。オカルト風味を盛り込んで、最後は合理的に説明するというミステリですね。

それだけではなく『帽子蒐集狂事件（*The Mad Hatter Mystery*）』などのオカルト風味は薄い探偵小説もかなり書いています。

作品の紹介

The Burning Court（火刑法廷）
フィアデルフィア近郊の町・クリスペンに広大な敷地を所有するデスパード家の老当主マイルズ・デスパードが急死。その夜、当主の寝室で目撃されたのは古風な衣装をまとった婦人の姿だった。やがて、当主は毒殺されたのではないかという疑いが浮上するのだが……。ミステリとしても、オカルトホラーとしても読める複雑な構造の作品。

宮脇メモ 『火刑法廷』は1937年に発表されました。ディクスン・カーの全盛期に書かれた作品です。この年に5冊の作品を出版していますが、どれも密度の高い傑作です。『火刑法廷』も大変人気の高い作品ですが、本書はミステリであり、怪奇小説でもあるという点が大きな特徴となっています。

【この作品の翻訳ポイント】

翻訳ポイント ①

最後まで読まないとわからない緻密な構成や暗喩、ほのめかしをどう訳すか

ディクスン・カーの『火刑法廷』は実は、すごくややこしいことをやっています。**ミステリとしても読め、ホラーとしても読める**ように書かれているんですね。

ここで起こるのは密室殺人なんですが、**「壁を通り抜けられる魔女が殺人をした」としか思えない話なんです。それがミステリ的に合理的に解決されます。ところが、最終章でその結論がひっくり返される。**結末を知って、読み返してみると、ミステリであると同時にホラーとしても読めるように二重の書き方がずっとされている……ということがわかるという作品です。

ミステリとホラーの両方の辻褄を合わせないといけないため、伏線やヒントが非常に細かく書かれ、暗喩やほのめかし的表現がとても多いのです。

一度読んだだけでは、そういった仕掛けはわかりません。読者は最後まで読んだあと、改めて読み返して「なるほど、そういうことだったのか」とわかるわけです。

翻訳をする際には、**小説の中の暗喩やほのめかしなどを把握した上で、読者へのヒントとなるようにうまく訳していかなくてはなりません。**

解説では、ネタバレもしながら、そういった点について説明していきます。

『火刑法廷』を読んだことがない人、初めて読む人は暗喩やほのめかしなど、その意味するところが理解できない箇所が多々あるはずです。**「何かひっかかる表現」「ちょっと気になる単語の選択」などをチェックしながら**課題文に取り組んでみてください。

翻訳ポイント ②

客観小説の中に全能の語り手も登場。誰の視点かを意識して訳す

『火刑法廷』は**客観小説の中に全能の語り手が登場する**構成になっています。

客観小説は登場人物の視点、ボイスだけで描く書き方です（1章参照）。19世紀にフランスから始まって20世紀に入ると大流行したスタイルで、英米では特にミステリ作家が好んで用いる手法となりました。

しかし**登場人物の視点（ボイス）だけで語られると、読むほうとしては狭い世界に閉じ込められている感覚に陥り、息苦しい**ところもある。そうした中、客観小説の中に全能の語り手が登場するというスタイルが登場しました（詳しくは「補講」[145ページ]をご覧ください）。

ディクスン・カーは客観小説のスタイルを好んで用いるミステリ作家ですが、この作品では客観小説の構造に全能の語り手がときどき顔を出します。

信用できる全能の語り手は嘘はつけない。一方、登場人物の視点による記述では本人の解釈（それが客観的な事実とは限らない）が語られます。そのへんの書き方の絡み具合が面白いのです。誰のボイスで書かれているのかを意識して読み、翻訳してみてください。

The Burning Court /
John Dickson Carr 著 /
Intl Polygonics 刊

『火刑法廷（新訳版）』／
ジョン・ディクスン・カー 著／
加賀山卓朗訳／
ハヤカワ・ミステリ文庫刊

【実践翻訳ゼミナール❶】ブロックごとに英文を訳していきましょう。

以下の英文を、色文字(語彙・表現)、下線(翻訳テク/注意!)、網のかかった箇所(翻訳指南)に留意しながら訳してみましょう。

❶ "There was a man lived by a churchyard—" is an intriguing beginning for a story left unfinished. Edward Stevens also lived by a churchyard, in more senses than one: which is the soberest possible statement of the fact. There was a miniature of the sort next door, of course, and the reputation of Despard Park had always been unusual; but that was not the most important churchyard.

❶ 翻訳スタート!

シェイクスピアの『冬物語』の冒頭がもとになった書き出し

通常の引用ではないところに作家の意図が?

"There was a man lived by a churchyard—":書き出しは、シェイクスピアの『冬物語』の有名な一節が少し変えられています。

『冬物語』の原文は

There was a man dwelt by a churchyard.

(昔むかし、お墓のそばに住んでいる男がいました)です。

王妃が王様に浮気を疑われているという『オセロ』のような状況で、幼い王女も浮気相手の子ではないかと疑われている。王妃はそのことで悩んでいる。そこで王子のマミリアスがお母さんを元気づけようと、即興でお話を作って話し始めたのが、この一節なのです。

しかしマミリアスがお話を始めると、王の部下が入ってきて、王妃を連れていって牢獄に入れてしまい、お話は途中で途切れたままになるのです。

dweltをlivedに変えたのはなぜか

カーはシェイクスピアの原文のdweltをlivedといい換えています。『冬物語』は『ハムレット』や『ロミオとジュリエット』などと違って、日本ではあまり馴染みのない作品かもしれませんが、シェイクスピアの遺作ということもあって、欧米ではかなりの人がその内容に通じていると思われ

視点を確認!
この小説では、全能の語り手の視点と登場人物の視点が入り混じっています。このブロックはすべて**全能の語り手の視点**です。

【宮脇訳】

「一人の男がお墓のそばで暮らしていました――」これは未完に終わったある物語の、意味深長な語り出しである。エドワード・スティーヴンズも墓のそばで暮らしていた。考えようによってはそう解釈することもできる、というのが、今可能な最も常識的な表現だろう。もちろん隣家には規模の小さな墓地があり、その隣家、デスパード・パークの評判は常に並外れたものだったが、もっと重要な墓は別にあった。

ます。

アメリカでは20世紀の初め頃までシェイクスピアの名場面だけを集めて上演する地方回りの劇団があったそうですので(たとえばクリストファー・リーヴ主演のタイムトラベル恋愛映画『ある日どこかで』に出てきます)、作者は、読者もこの台詞を知っているという前提で書いているように思えます。

ではカーはなぜ、引用の一部を変えたのでしょうか。これをどうとらえるかが、翻訳者としては難しいところです。

もしかするとカーが覚え間違えていたのか?ということも、もちろん考慮しないといけないでしょう。しかし、「作家は全能」であるという大前提に立つと、翻訳者としてはまず「なんらかの意図があって変えたのだろう」と考えるところから始めるべきです。シェイクスピアからの引用としていないところにも、カーの意図を感じます。

dwellという動詞は「居を構える」「住む」という意味です。お墓があってお墓の傍らに家があるといった状況です。一方liveは「生活する」、「暮らす」です。

直訳すると『冬物語』では「お墓のそばに家を構えていた」ですが,『火刑法廷』では「お墓のそばで生活していた男がいました」となります。

ここはわざと言葉を変えていると私は思います。小説の内容に合わせて変えている。訳す場合はわざわざliveに変えた作者の意図を考えて訳語を選ばなければなりません。

dwellとliveのどちらの意味ともかぶる「住む」にすると、作者の細かい言葉遣いの選択の意図が見えなくなってしまいます。そこで、「一人の男がお墓のそばに暮らしていました」と訳してみました。

では**改めてなぜこのように言葉遣いを変えているのか?**

これは実は小説を最後まで読まないとわかりません。ネタバレになりますが「補講」(133ページ)で説明したいと思います。

ちなみに、イギリスの女性作家ミュリエル・スパークが1956年に発表した"A Sad Tale's Best for Winter"(悲しいお話は冬によく似合う)という短篇小説は、

There was a man lived by a graveyard.

という書き出しで始まっています。"A Sad Tale's Best for Winter"というのは、『冬物語』におけるマミリアス王子の台詞の引用です。

ディクスン・カーが愛読したという怪奇小説の大御所M・R・ジェイムズには、"There Was a Man Dwelt by a Churchyard"というそのものずばりの題名がつけられた短篇小説があります(1924年発表)。マミリアス王子が語ろうとしたお話を書き継いだ、という趣向の作品です。

小説の背景を考えて訳語を選ぶ

翻訳テク

an intriguing beginning for a story left unfinished:「終わりまでいきつかなかったお話の意味深長な語り出し」。an intriguing beginningの直訳は「意味深長な始まり」ですが、もともとは『冬物語』の引用で、王子がお話を始めたところであることを考えて、「意味深長な語り出し」としました。

注意!

for a story left unfinishedについて、以前『火刑法廷』のある翻訳で、storyを小説と訳していましたが、引用元の『冬物語』では王子が母親に物語を聞かせるので、この**storyは小説ではなくて「お話」とすべき**でしょう。

語彙・表現

in more senses than one:いろいろな意味で
statement of the fact:事実を述べること、説明すること

文意を取って適切な訳語を選ぼう

翻訳テク

which is the soberest possible statement of the fact:ここはなかなかうまく訳せないところです。soberは「酔っぱらっていない」という意味がまず思い浮かびますが「穏健」「理にかなって」「誇張がない」などいろいろな意味があります。

文意を取ってどの言葉を選ぶか、possible statementと組み合わせて合うのはどの意味かという問題があります。とりあえず、possibleを「可能な限り」とし、「これが可能なかぎり最も常識的な表現だ」と訳しました。大変もってまわった表現になっています。

ここは全能の語り手が出てきているので**嘘はつけないですし、ネタバレもできない。そのため「可能なかぎり」「常識的な」といった限定的な表現**がいろいろ出てきているのです。このほのめかしは一体何を意味しているのか？　ここも同じく「補講」で解説します。

翻訳テク **There was a miniature of the sort next door**：sortの意味がよくわからないという人が多いのですが、ここではお墓を示しています。of the sortで「そのようなもの」という意味です。

「いろいろな意味でお墓のそばに住んでいる」といったあとで、「隣の家には実際、そういう小型のお墓がある」とつながります。「実際隣の家にもお墓はあるんだけれど」といっているわけです。

隣は昔からずっと住んでいるお金持ちのお屋敷なものですから、屋敷内に先祖の棺を納めておくお墓がある。

ここも全能の語り手が話していて、わかっていることをすべて明らかにしないため、微妙な表現になっています。

翻訳テク **the reputation of Despard Park had always been unusual**：「お墓があるデスパード・パークの評判は普通ではなかった」という意味になります。「普通ではない」を「並外れた」とすれば「デスパード・パークの評判は常に並外れたものだったが」といった訳になります。

注意! **Despard Park**：「デスパード公園」と訳したくなりますが、公園ではありません。「邸宅」を示す言葉の一つにParkがあります。これは「デスパード邸」というような意味になります。**もともとは公園というか庭が有名なところが邸宅となった場合にパークと呼ばれて**います。たとえば以前は僧院（abbey）であった邸宅は、人気ドラマ『ダウントン・アビー』のように〇〇アビーとなります。

unusualはニュートラルな言葉

注意! **unusual**：「異常な」と解釈する人が多いのですが、調べてみるともっとニュートラルな言葉です。approvalもdisapprovalもない。対象物への価値判断は入っていません。単に「普通と違う」といっている言葉です。普通と違っているが、すごくよいとかすごく悪いということはいっていません。

文意がわからないときは英英辞典で例文を調べよう

例文をいくつも読むと文意が見えてくる

that was not the most important churchyard：直訳すると「それは一番大事なお墓ではなかった」となりますが、何をいいたいのかわかりませんね。単語の意味はわかっているのに文意がわからないときは、英英辞典の登場です。

コウビルドでthe most importantの例文を見ていくと

Being in love was not the most important thing to me.

というのが見つかりました。これを普通に訳すと「恋愛は私にとって一番大事なことではなかった」となりますよね。

どういう意味かというと、私にとっては恋愛よりも大事なことがあるということです。つまりは「恋愛よりも大事なことが私にはあった」という意味です。

カーの文もこの例文と同じ構文です。つまり「これは一番大事な墓ではなかった」を英英辞典の例文のように意味をとって訳していくと「それより大事な墓はほかにあった」ということになります。

「隣の家にも確かにお墓はあるけれど、それよりももっと意味のあるお墓は別なところにありますよ」といっている。これもすごくあいまいな書き方をしています。

何をいいたいのか。要するに私がいうお墓ってそれではない、**「一番重要なお墓」というのは別の意味だよ**、ということをこんなふうに表現しているのです。

詳しくは次ページの「補講」で説明しますが、ここはスティーヴンズの妻を「お墓」にたとえているのです。

まとめ

『火刑法廷』の書き出しの部分は、エドワード・スティーヴンズという男がお墓のそばで暮らしているということがとりあえず強調されています。実はさまざまな伏線的な部分や登場人物について非常にあいまいな表現で言及されている箇所が多々ありますが、それが重要なことの暗喩やほのめかしであったことは読了したあとにわかります。思わせぶりな表現に気をつけて読んでみてください。

著者の意図に合わせて訳す。たとえ理解されなくとも

なぜ、冒頭からこれほど、暗喩やほのめかすような表現になっているのか。

シェイクスピアを引用しながら、原文のdwell（居を構える）ではなくlive（暮らしている）という言葉を使っているのはどうしてか。

ここには作者の深い意図があります。

小説のネタバレになりますが、最後のエピローグまで読むと「お墓のそばで暮らしている」と紹介されたエドワード・スティーヴンズの妻（マリーという名前です）が「生まれ変わり」だという驚愕の事実が判明します。

何度も何度もお墓から蘇ってくる魔女なんです。

つまり「お墓」とは墓場から蘇る妻・マリーのことを意味していて、それを最初のところでははっきりとはいえないものだから、「いろいろな意味で」と限定して書いている。スティーヴンズの奥さんは魔女でしたというのを匂わせている。

dwellなら別々に住んでいてもいいんです。お墓と別に横に家を建てて住んでいてもいいけれど、liveだったらお墓と一緒に暮らしている意味になります。だからliveに言葉を変えたのでしょう。

そんなふうに暗喩やほのめかしを多用した凝った表現になっているわけですが、冒頭でそのようなことを書かれていても誰にも意図はわかりません。読み終えてから、もう一度最初に戻って初めて、「これはこういう意味か！」と気がつく……そういう小説なのです。

つまり、**この小説を味わうためには読み返す必要があります。読み返して、作者の意図をいくつも発見して、味わう。そのことで面白さが倍増**していきます。

小説にはこのように、あとで意図やほのめかし、暗喩であることがわかるという文が登場します。まったく気がつかないまま読んでしまう人が多いのでは？と思われることもあります。

しかし翻訳者としては読者が読み返したときに著者の意図がわかるように訳さなくてはならない。書き手の意図を理解し、その意図になるべく合った訳を作り出さないといけないのです。

【実践翻訳ゼミナール❷】

以下の英文を、色文字（語彙・表現）、下線（翻訳テク／注意！）、網のかかった箇所（翻訳指南）に留意しながら訳してみましょう。

❷ Edward Stevens, who was not much different from you or me, sat in a smoking-car of a train which would reach Broad Street station at 6:48. He was thirty-two years old, and he had a tolerably important position in the editorial department of the publishing house of Herald & Sons, Fourth Avenue. He rented an apartment in the East Seventies, and owned a cottage at Crispen outside Philadelphia, where he spent many weekends because both he and his wife were fond of that countryside. He was going there to join Marie on this Friday evening (which was in the far-off days of spring, 1929); and in his briefcase was the manuscript of Gaudan Cross's new book of murder-trials. Such, baldly stated, are the facts. Stevens himself now admits that it is a relief to state facts, to deal with matters that can be tabulated or arranged.

❷ 翻訳スタート！

顔の見えない全能の語り手が登場 ◀ 登場人物と語り手の視点で描写

who was not much different from you or me～：作品の冒頭は全能の語り手のボイスで描写されていましたが、続くこのパラグラフも語り手のボイスです。しかも、いきなり語り手の「私」が登場しています。「あなたや私」という言葉が出てきていますが、この「私」が全能の語り手です。

この小説は一応、エドワード・スティーヴンズが主人公で、どの場面にも登場します。彼抜きの場面はなく、一種の視点人物の役割なのですが、ただし彼の特徴は「何も気がついていない」ということです。探偵役をやるわけでもない。ただうろうろしているだけの男です。

常に登場するけれど何も気がついていない人物なので**彼のボイスの描写だけでは全体像が見えません。そこで全能の語り手をちょくちょく出して、全体を説明していくという書き方**をしています。

このブロックはすべて**全能の語り手の視点**で書かれています。

【宮脇訳】

あなたや私とさほど違いのないエドワード・スティーヴンズは、喫煙車に座っていた。その列車は6時48分にブロードストリート駅に到着する予定だった。年齢は32歳、四番街にある出版社〈ヘラルド＆サンズ〉の編集部で、まあまあ成功した地位についていた。東70数丁目にアパートメントを借りていたが、それとは別にフィラデルフィア郊外のクリスペンに別荘を持ち、よく週末をそちらで過ごしていたのは、夫婦そろって田舎のそのあたりが好きだったからである。その金曜の夜も（遠い昔、1929年の春のことだが）マリーと合流する予定で、書類かばんには殺人事件の裁判を扱ったゴーダン・クロスの新作の原稿が入っていた。飾り気なしにいえば、それが事実である。今、スティーヴンズ本人も認めているように、事実さえ述べていれば、そして、表にしたり並べ替えたりすることができるものさえ扱っていれば、ほっと一息つくことができる。

なお、この語り手は作者ではありません。語り手というキャラクターが一人いる感じです。**姿の見えない顔のわからない語り手という登場人物がこの話の中にいる**、そのように思えばいいでしょう。

駅名が出てきたら、場所を調べること

翻訳テク

sat in a smoking-car of the train which would reach Broad Street station at 6:48：ここの文は**順番に訳したほうがわかりやすい**です。「6時48分にブロードストリート駅に到着する予定の列車の喫煙席（車）に座っていた」と訳すと長すぎます。まず「喫煙車に座っていた」というところで区切って、「その列車は6時48分にブロードストリート駅に到着する予定だった」と続けるといいでしょう。

駅名が出てきたら、その駅がどこにあったのか調べてください。たとえば、ウィキペディアによればブロードストリート駅がフィラデルフィアの駅であり、ニューヨークからフィラデルフィア行きの列車に乗っていることがわかります。また、ブロードストリート駅から支線が伸びていることもわかります。小説に出てくる場所、空間は可能なかぎり把握するようにしましょう。

ブロードストリート駅についてのサイト。歴史やロケーション、昔の駅舎の様子なども紹介されている

翻訳テク

He was thirty-two years old, ～：スティーヴンズに関する説明が始まる文です。まず年齢が明らかになります。登場人物のみのボイスで語る客観小説ではこうした書き方はできませんが、この小説では全能の語り手がいるのでどんどん紹介することができます。

なおカーをよく読んでいる読者は、最初のわからないところは読み飛ばしても話は通じると考えて、このあたりから読み始める人が多いようです。しかし本作品は**読了後に最初の一節を読み返すと、なるほどそういう意味だったのかと発見が多々ありますので、再読するときのほうがいっそう面白い**のです。

語彙・表現

a tolerably important position：「そこそこ重要な地位」。「まあまあ成功した地位についていた」という感じです。

the East Seventies：東70丁目から79丁目までのどこかということです。

語り手の文章では「である」が使える ◀ 登場人物視点の文末には注意

because both he and his wife were fond of that countryside：このパラグラフの冒頭部分では全能の語り手によってエドワード・スティーヴンズのディテールが一気に紹介されます。

そして**全能の語り手がしゃべっている文章では「である」が使えます。**

たとえばbecause both ～ that countryside. は「夫婦そろって田舎のあのあたりが好きだったからだ」と訳してもいいですが「～である」を使って「夫婦そろって田舎のそのあたりが好きだったからである」と訳すこともできます。

文末が「〜だった」ばかりでは単調になってしまうので、ときどき「である」を入れましょうとおおざっぱな「翻訳のコツ」を口にする先生がいますが、「である」はなかなか使うのが難しい言葉です。**登場人物の視点で書いているところに「である」を使うと変な感じになります**ので注意しましょう。

語彙・表現

the far-off days：遠い昔の

翻訳テク

which was 〜, 1929：ここで語り手は1929年の話だと年代もはっきりいっています。1937年出版の小説ですので、その時期から8年くらい前を舞台にしているということを示しています。場所のみならず、小説に出てくる時間も常に気にするようにしましょう。

翻訳テク

the manuscript of Gaudan Cross's new book of murder-trials：スティーヴンズの妻のマリー、そして作家のゴーダン・クロスの名前が登場します。ゴーダン・クロスはミステリとしてのこの小説における名探偵役です。スティーヴンズは妻・マリーと合流しようとしていて、そしてかばんにはゴーダン・クロスの新作原稿が入っている。

実はこの小説の重要な登場人物のマリーとゴーダン・クロスが一緒に登場していて、ここもあとで読み返すと意味深な書き方をしています。

語彙・表現

baldly：「大胆に」と訳してしまう人が多いと思うんですが、ここではstatedとの組み合わせなので別の意味になります。コウビルド英英辞典の形容詞baldの例文を紹介しますと

A bald statement is in plain language and contains no extra explanation or information.

わかりやすい言葉で（in plain language）余分な説明や情報がない（no extra explanation or information）のがbald statementだということです。

つまり、statedにくっついたbaldlyは「端的に」という意味になります。

ほのめかしが続く中で意味を取る

翻訳テク

Such, baldly stated, are the facts.：「端的にいえば、それが事実である」。ここも**ほのめかし的な表現**です。実は本当はもっと深いつながりがあるわけです。しかし、今はそこまではいえないということで、このような表

現となっています。何をほのめかしていたかは、次ページの「補講」で解説しました。

翻訳テク

Stevens himself now admits：ここは時間が飛んでいます。admitsと現在形になっていますね。**語り手のボイスですから、時間を自由に飛ぶことができます。**だから、現在の話になっています。

事件が終わったあとの現在をnowといっています。ですから、この「今」はきちんと訳さないといけません。

語彙・表現

tabulated：表にされる
arranged：並べかえられる

合わせてスティーヴンズの仕事である編集作業のことをいっているのだと思います。

さらにわかりにくいほのめかし表現が続く

翻訳テク

that it is a relief to state facts, to deal with matters that can be tabulated or arranged：**reliefの意味もちょっと思わせぶりで、どう訳すか悩むところ**です。「都合の悪いことは考えなくてすむ」と解釈してみました。that it is ～と現在形が登場していることに注目しましょう。

ここは何を意味しているかというと、スティーヴンズも、「今」はうすうすは自分の妻について何か怪しいと（妖怪変化ではないかと）疑っているが、そちらには目を向けないようにしている。事実だけを扱っていれば疑惑に目を向けないですむという意味だと解釈しました。

……と、そんなことを書き出しの部分でいわれてもわかりませんね。この段階は何をいっているかわからなくて当然です。

カーは**このようなほのめかし方をするんで、文章の意味が取りにくくなって**、下手くそな文章というか、下手なのかうまいのかわからないとよく議論されています。

まとめ

この小説の主な視点人物であるエドワード・スティーヴンズが電車で週末を過ごす別荘へ向かっているところです。スティーヴンズについて簡単な紹介がされ、小説の重要人物である妻のマリー、そして作家のゴーダン・クロスの名前も登場します。そして、ほのめかしの表現も多く出てきます。初めて読んだ段階では意味がわからないですが、気になる部分はマークしておきましょう。

重要な登場人物は
二人とも「生まれ変わり」だった

マリーが何度も生まれ変わっている魔女であるという話を133ページの「補講」で述べましたが、実はゴーダン・クロスも生まれ変わりで、**二人は仲間でもあります。その二人の名前を近いところに出してきたのは作者の意図**だと思います。

少し二人のことを説明すると、前世は二人ともフランスにいて悪事を働いていました。フランスの有名な毒殺魔だったのです。そそのかしたのがゴーダン・クロスで、犯行に及んだのがマリーでした。

ゴーダン・クロスもマリーもフランス系の名前ですね。

小説のあとのほうで、生まれ変わりのメカニズムが遠まわしに解説されますが、生まれ変わってしばらくのあいだは自分が生まれ変わりということに気がつかない。思春期の頃になると生まれ変わりの記憶が戻ってきて、前世で一緒だったあの人はどこにいるんだろうと探し始めるという設定になっています。

今世ではゴーダン・クロスのほうが先に目覚めていて、後々マリーが自分を探すのがわかっている。だから作家になってジャケットの裏に大きな顔写真を載せているのです。

ゴーダン・クロスは18世紀あたりからずっと生まれ変わり続けていて、過去の殺人事件もじかに見聞しており、そのことを題材にして本を書いています。普通だったら資料を一生懸命調べた上で本にするところを彼は自分が知っていること、記憶にあることを書いていけばいいわけです。

というわけでスティーヴンズが新作の原稿（ここではかばんの中に入っています）を家に持って帰ったときに、マリーが気がつくだろうと想像できます。あるいはこの出版社でゴーダン・クロスは何冊も本を出しているので、もう気がついていたのかもしれません。

あとで、この原稿が消えるエピソードも出てきます。マリーが読んでいたのでしょう。このように**あとになって読み返すとわかるのですが、細かい伏線がいろいろと張られて**います。

【実践翻訳ゼミナール❸】

以下の英文を、色文字（語彙・表現）、下線（翻訳テク／注意！）、網のかかった箇所（翻訳指南）に留意しながら訳してみましょう。

❸ It must be emphasized, too, that there was nothing unusual about the day or the evening. He was not stepping across a borderland, any more than you or I step across it; he was simply going home. And he was a robustly happy man with a profession, a wife, and an existence which suited him.

The train was on time at Broad Street. He stretched his legs round the station, and saw on one of the black number-boxes over the gates that he could get a train for Crispen in seven minutes: an express, first stop Ardmore. Crispen is some thirty-odd minutes out on the Main Line, the next stop after Haverford. Nobody has ever yet discovered why there should be a stop or a separate division there at all, between Haverford and Bryn Mawr. There were only half a dozen houses, all set very far apart, on the way up the hill. But it was (in a way) a community of its own: it had a post-office, a druggist's, and a tea-room almost hidden in the noble copper beeches where King's Avenue curved up to Despard Park. It had even—though this was scarcely either customary or symbolical—an undertaker's shop.

❸ 翻訳スタート！

語彙・表現

unusual：「いつもと違う」。前述の通り、「異常な」という意味ではありません。

stepping across：横断している

borderland：国境地帯

なぜ唐突に「国境」が登場したのか？

翻訳テク

He was not stepping across a borderland, ～：「彼は別に国境地帯

視点を確認!

このブロックでは**全能の語り手の視点**（黒字）と登場人物スティーヴンズの視点（赤字）が入り混じっています。

【宮脇訳】

これもまた強調しておかなければならないが、その日も、その夜も、いつもと違うことは何一つ起こらなかった。彼が国境地帯を横断しようとしているのではないことは、あなたや私がそんなことをしているわけではないのと同じで、単にスティーヴンズは家に帰ろうとしていただけである。彼はごく幸せな男で、天職を持ち、妻がいて、身の丈にあった暮らしをしていた。

列車は定刻にブロード・ストリートに到着した。足のこわばりをほぐすため駅のまわりを歩いていると、乗車ゲートの上にある、数字を掲示した黒い枠が目に入り、クリスペンに向かう列車があと7分で出ることを知った。急行で、最初の停車駅はアードモアだ。クリスペンはこのメイン線で30数分のところにあり、駅でいえばハヴァーフォードの次になる。ハヴァーフォードとブリンマーのあいだになぜ駅を造ったのか、そもそもその二つの地域を区別しようとなぜ考えたのか、その答えを見出した者はまだいない。住宅はほんの4、5軒あるだけで、しかも丘の斜面に散らばっている。しかし、それ自体が（見方によっては）一つの地域社会を形づくっていた。郵便局があり、薬局があり、キングズ・アヴェニューがひと曲がりしてデスパード・パークへと登ってゆくあたりには、立派な銅ブナの木々に半ば隠された喫茶店もある。さらには――この地区の習慣や象徴とはいえないが――葬儀屋まで店を構えていた。

を横断していたわけではない。それはあなたや私がそんなことをしているわけではないのと同じで、単にスティーヴンズは家に帰ろうとしていただけである」。

出だしからいきなり話が飛躍した印象の文です。いったい何をいおうとしているかおわかりでしょうか?

小説で書かれている時代はヨーロッパで動乱が始まり、難民が大量に発生していた頃です。ナチスは1929年にはまだ存在していませんが（ナチ党成立は1933年）、ロシア革命で多くのユダヤ人移民がニューヨークに逃げてきたりしています。ヨーロッパから多くの人が国境を越えて逃げてきているということをイメージしているのでしょう。ただ**書かれた時期が1936年で**

第二次大戦前夜ですから、ナチスの侵攻のことも、なんとなくイメージしているように思われます。

翻訳テク

any more than you or I step across it：ここでまた「あなたや私」が出てきます。全能の語り手「私」が語っているところだということが、明確に示されているところです。

翻訳テク

he was simply going home：「単に彼は家に帰ろうとしていただけである」となります。国境横断のくだりと呼応しています。

「国境地帯を横断しているのではなくて」以下はたぶん、**カーらしいギャグ**なのでしょう（カーはユーモア系のミステリも書いています）。ふっと笑わせる、くすぐりです。

翻訳テク

And he was a robustly happy man with a profession, a wife, and an existence which suited him.：ここは前の文を受けて、彼（スティーヴンズ）が普通の男だということを描写しています。まあまあ幸せで、天職があって、妻がいて、身の丈にあった暮らしをしていたということです。existenceはこの文脈からいっても「存在」などと難しくとらえる必要はなく、lifeという意味でいいです。

語彙・表現

stretched his legs：「足のこわばりをほぐした」といった意味です。

翻訳テク

He stretched his legs round the station：「足のこわばりをほぐすため駅のまわりを歩いた」。

以前出た翻訳本で、この部分を「駅を回っていった」と訳していたのですが、その場合はmoved aroundとなります。彼はずっと座っていたので、足がこわばっていたんですね。足のこわばりをほぐすために駅のまわりを歩いたんですね。それを丁寧に訳さないといけないところです。**単にぶらぶら歩いたわけではなく、ストレッチするという目的があったことを訳しましょう。**

なお、ここの文は関係ないですが通常と少し違う表現でカーは伏線を仕込んだりします。「ああ、こういう意味だったのか」ということがよくあります。それを訳で消してしまってはいけないので、訳すときにすごく神経を使うことになります。

語彙・表現

the black number boxes：「数字を掲示した黒い枠」。黒い枠があって昔の野球のスコアボードみたいに数字を入れていく仕組みのもの。

翻訳テク

and saw on one of the black number-boxes over the gates that he could get a train for Crispen in seven minutes: an express, first stop Ardmore：クリスペン駅行きの列車が7分後に出ることがわかったわけですが、この文はスティーヴンズの目、登場人物の視点で書いているところに注意しましょう。

急行で、「アードモア」が最初の停車駅だということが書いてあります。実際調べてみるとそのとおりでした。このあたりは地理がわかっている人向けのお話です。ブロードストリートから支線が出ていて、急行の最初の停車駅はアードモアなんです。

注意!

the Main Line：固有名詞で「メイン線」ということになります。ここを「本線」と訳している翻訳本もありました。支線本線の本線ですね。しかし、ここはそういう意味の**本線という意味ではなくてメイン線という名前**です。東京の中央線みたいな名前のつけ方ですね。地理的な名称や位置関係は確認して把握しながら進めましょう。

語彙・表現

Bryn Mawr：ブリンマーは有名な女子大、ブリンマー大学があります。津田梅子もかつて留学した大学ですね。

事実を調べていればわかる

翻訳テク

Nobody has ever yet discovered why there should be a stop or a separate division there at all, between Haverford and Bryn Mawr.：クリスペン駅はハヴァーフォード駅とブリンマー駅の間にあるということになっています。実際はハヴァーフォードの次はブリンマー駅ですが、その間にわざわざ架空のクリスペンという駅を作ったので、なんでこんな近いところに駅を作ったんだ?と突っ込まれることを予想して「その答えを見出したものはまだいない」とあらかじめ書いているのです。このあたりも、the Main Line について調べていればわかることです。

翻訳テク

There were only half a dozen houses, all set very far apart, on the way up the hill.：クリスペン駅のまわりの説明を語り手がしています。「住宅はほんの4、5軒あるだけで、しかも丘の斜面に散らばっている」と少しまとめて訳しました。

翻訳テク

But it was (in a way) a community of its own: it had a post-office, a druggist's, and a tea-room almost hidden in the noble copper beeches：ここも語り手が手際よく、舞台となる街を説明しています。前文から、4、5軒しか家がないけれど、それ自体が一つのコミュニティになっている。なぜなら郵便局も薬局も喫茶店もあるからです。**語り手を使った場合の便利な点で、コンパクトに状況説明**ができます。

　copper beechは木の名前で、日本では「銅ブナ」と呼ばれています。almost hidden in the noble copper beechesは「立派な銅ブナの木々に半ば隠された」と訳しました。

翻訳にひと工夫必要な"簡単な英語"

翻訳テク

where King's Avenue curved up to Despard Park：「キングズ・アヴェニューがひと曲がりしてデスパード・パークへと登ってゆくあたりには」。クリスペンの地理の説明をしています。冒頭でも説明しましたが、デスパード・パークが事件の舞台になるところです。

　curved up toの部分、**英語は簡単に書いていますが、日本語では「ひと曲がりして登っていく」と苦労して訳さないといけない**ところです。坂道であること、道が真っすぐではないことを表現しないといけないのがポイントです。

翻訳テク

It had even — though this was scarcely either customary or symbolical — an undertaker's shop.：しかも葬儀屋まであったと書いてあります。ここは、多分面白がらせようとして書いています。

　customary or symbolicalをどう訳すかちょっと難しいですが、習慣や象徴という意味にとらえて「この地区の習慣や象徴とはいえないが、葬儀屋まで店を構えていた」と訳しました。

　なお、ここまでに登場した喫茶店や葬儀屋があとのほうで話の鍵になってきます。

まとめ

これまでのほのめかし的表現は減り、事件の舞台となるフィラデルフィアにある架空の町・クリスペンの紹介がコンパクトにされています。ちなみにここで登場した喫茶店や葬儀屋があとで重要な場所となってきます。1章で重要なカードをすべて紹介していくようになっているので、作者の意図に沿って訳すことが求められます。

「語り手が登場する客観小説」について

『火刑法廷』はいわゆる客観小説に語り手が登場するスタイルで書かれていると考えることができます。

もともと**全能の語り手が語る小説はイギリスで18世紀くらいから**書かれ始め、広がっていました。それに異を唱えたのがフランス人で、**19世紀にフローベルやモーパッサンが出てきて、登場人物の視点、ボイスで描く書き方を始めたのが「客観小説」**です。登場人物の目から語られる。以前は視点人物という言葉を使いましたが、最近は「誰のボイスか」といういい方をするようになりました。

客観小説は20世紀に入ってから大流行し、特にミステリでよく用いられるようになります（38ページ参照）。

たしかにミステリを書くにはこのスタイルが都合がいいんですね。「登場人物がそう思い込んだのを読者が信じただけで、私（書き手）は嘘をついていない」といえます。アガサ・クリスティーが上手にこの形式を使っていました。

脱・客観小説で「物語の復権」へ

ただ、すべてのことをさまざまな登場人物の視点からだけで書いていくと、すごく話が窮屈になってしまうという欠点もあります。登場人物のボイスだけで表現すると、さまざまな説明が煩雑にもなります。

たとえば、小説では時には未来についても読んでみたい。
「それが二人の永久の別れになった」といった文も書きたいし、読みたい。それが客観小説では書けません。

また登場人物だけの世界ではなくもっと雄大な光景も見てみたいこともあります。

登場人物のボイスだけで物語を進めていくと、読む側としては狭い世界に閉じ込められているような、閉所恐怖症的な小説になってしまうこともある。小説の世界が窮屈になり、お話が痩せてしまいます。

そういうところで、客観小説という形式は息苦しいと感じられることもあり、1970年代あたりから「いかにしてうまく語り手を登場させるか」という新しいテクニックも出てきました。

これはディケンズなどの小説のように作者がそのまま登場するという昔の形ではなく、客観小説からまた一歩進めた形になっています。

文学史の中では「物語の復権」といわれています。

前述のように、物語を排除して客観小説を書こうというのが20世紀の初めに流行ったんですけれど、もう一度ディケンズなどの小説が見直されました。ディケンズが面白いのは語り手が入ってきて、話を複雑にしたりかき回したりして、小説を重層的にしているからだということに気がついたので、**語り手を積極的に使おうじゃないかという運動**が起こったのです。

そこからいろいろ試みがなされてきました。ディケンズよりもさらに昔に戻って、『アラビアンナイト』のメタフィクション的な手法をとる作家も出てきました。

“語り手”に工夫をこらす作家たち

とはいえ、ディケンズ式などの昔の手法をすべてそのまま採用するというわけではありません。全能の作者が語り手として登場するのではない、別の語り手の出し方をしています。

例えば語り手もキャラクターの一人として出す。小説の中の隠されたキャラクターの一人が語り手となる。あるいは姿の見えないキャラクターとして語り手を出していく。

そんなふうに今の作家はどのような形で語り手を出すか苦労しています。

一例を挙げれば、カナダのノーベル賞作家に、アリス・マンローという人がいます。そのマンローが1992年に発表した短篇小説に、“A Real Life”（本当の人生）という作品があります。五大湖に近いカナダの田舎町を舞台にして、仲のいい女性3人の悲喜こもごもをしみじみと描いた名短篇ですが、それはこんな書き出しで始まっています。

A man came along and fell in love with Dorrie Beck. At least, he wanted to marry her. It was true.

ざっと訳せば、

「ある男がやって来て、ドリー・ベックに恋をした。何はともあれ、結婚したいと思った。それは本当のことである」

となりますが、何か気になりません？　最後の一文「それは本当のことである（It was true.）」というのは本当に必要でしょうか。これがなくても、話にはなんの影響も与えないでしょう。それに、小説の書き出しで「本当のことである」といわれても面食らいます。おまえは小説のふりをしたノンフィションか!?

しかし、アリス・マンローは、わざわざそう書いています。実は、これ、語り手の「ボイス」なんですね。冒頭から、この小説には語り手がいますよ、ということを、こんな形で宣言しているのです。

3人のヒロインの言動を、それぞれの視点から多角的に描きながら、要所要所で語り手のコメントが入り、多重的に話をふくらませる。そのおかげで、短篇でありながら（といっても400字詰め原稿用紙で80枚くらいありますが）、長篇を一冊読んだような充実した読後感が残ります。

今のところまだ翻訳はないようですが、*Open Secrets* というアリス・マンローの短篇集に入っていますので、興味のあるかたはちょっとのぞいてみてください。

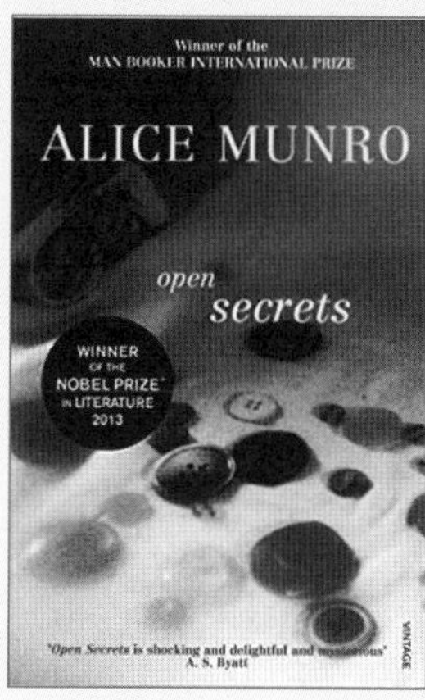

Open Secrets / Alice Munro 著 / Vintage 刊
語り手も登場し、多視点で多角的に描かれた短篇 "A Real Life" が収録されている

【実践翻訳ゼミナール❹】

以下の英文を、色文字（語彙・表現）、下線（翻訳テク／注意！）、網のかかった箇所（翻訳指南）に留意しながら訳してみましょう。

❹ This undertaker's had always surprised and puzzled Stevens. He wondered why it was there, and who patronized it. The name *J. Atkinson* was on the windows, but in letters as discreet as a visiting-card. He had never seen so much as a head or a movement beyond those windows, which displayed a couple of shapeless little marble blocks—presumably you stuck flowers in them—and black velvet curtains run waist-high on brassy rings. Of course, it was not to be presumed that an undertaker's anywhere drove a roaring trade, or that a stream of eager customers would constantly animate its doors. But undertakers, by tradition, are merry men; and he had never seen J. Atkinson. It had even given him the vague germ of an idea for a detective-story. The plot (he thought) should concern a mass-murderer who was an undertaker, and was thus able to explain the presence of inconvenient bodies in his shop.

④ 翻訳スタート！

登場人物の主観を示すwonderは省略できる

翻訳テク

He wondered why it was there, and who patronized it.：葬儀屋の話が、登場人物のスティーヴンズの視点（ボイス）で語られていきます。直訳なら「～と彼は不思議に思った」という訳になりますが、日本語では**この文全体がスティーヴンズの主観**だということがわかるので、**he wonderedというのは省略しても翻訳上はかまいません。**「なぜここにあるのか。誰が利用しているのか。」と訳すことができます。

語彙・表現

letters：「名前の書体」のことをここではいっています。
discreet：控えめ
visiting-card：「名刺」。日本の名刺は名前の部分を大きくしているものが多いですが、アメリカの名刺は活字が小さい。ここは「書体は名刺の活

このブロックはすべて**登場人物スティーヴンズの視点**で書かれています。

【宮脇訳】

この葬儀屋の存在を、スティーヴンズは前から奇異に感じていたし、首をひねることも多かった。なぜここにあるのか。誰が利用しているのか。窓にはJ・アトキンスンという名前が書いてあったが、書体は名刺の活字のように控えめだった。その窓の向こうに顔が見えたことも、動く人影が見えたこともない。窓には変な形をした大理石のかたまりが置いてあって——たぶん、花を活けるのだろう——真鍮のカーテン・リングのついたビロードの窓掛けが腰の高さにかかっていた。むろん、葬儀屋が繁盛したり、ひっきりなしに熱心な客がやってきて大いに賑わったりしているところを想像するのは無理がある。しかし、本来、葬儀屋には陽気な男が多いのに、スティーヴンズはJ・アトキンスンなる人物を一度も見かけたことがなかった。おかげで彼は探偵小説の素案を考えついたことがある。その筋書きは（と、彼は思い浮かべた）大量殺人者にして葬儀屋という人物を巡るもので、都合の悪い死体が多々あっても、店が店だから、で説明がつく。

字のように控えめに」と訳してみました。

翻訳テク

He had never seen so much as a head or a movement beyond those windows：スティーヴンズが葬儀屋の中に入ったことはないことを明らかにした上で、窓から見た葬儀屋の様子が語られています。**head**が見えたことも**movement**が見えたこともないとあるので、情景がイメージしやすいように「窓の向こうに**顔**が見えたことも、**動く人影**が見えたこともない」と訳しました。

なお、あとでゴーダン・クロスがこの葬儀屋から登場するなど、事件の舞台にもなっています。

カー独特のぼかした表現

翻訳テク

a couple of shapeless little marble blocks：little marble blocks（小さな大理石のブロック）というのはカー独特のぼかした書き方です。あとになると、ちょっとした小道具として登場し、これが壷だとわかります。でもここでは壷とは書いていない。

全能の語り手ではなく、スティーヴンズの目から見ているからでしょう。店内に入ったことがないスティーヴンズの目には何に使うかわからない物が置いてあるのが見える。shapelessは形がないということですから、つまり真四角とか円形といったはっきりした形ではなくて、うねうねしていたり、平行四辺形や台形のようなよくわからない形なのでしょう。ここでは**「変な形」**ととりあえず訳しました。

窓がカーテンで覆われているわけではない

注意! black velvet curtains run waist-high on brassy rings：これはショーウィンドウ全体にカーテンがかかっているのではないのでご注意ください。腰の高さのところまで、窓の下半分に布が垂れているのです。一面カーテンで覆われているわけではなく、下半分だけ飾りみたいにカーテンがついている。つまり窓の上半分からは中が見えるということをあらかじめ説明しています。描写が細かいですね。

語彙・表現 drove a roaring trade：商売繁盛した

翻訳テク But undertakers, by tradition, are merry men：ここは**登場人物の視点からの典型的な書き方**です。スティーヴンズの主観で「葬儀屋はだいたい陽気な奴が多い」と述べています。カーとしては、ちょっと面白いことを書いている感じでしょう。

語彙・表現 germ of an idea：germは「種、始まり」。あとに続くfor a detective - story（探偵小説の）に呼応して「素案」と訳しました。
mass-murderer：大量殺人者

語り手と登場人物の視点が混ざるとき

翻訳テク The plot (he thought) should concern a mass-murderer who was an undertaker：このあたりもカーらしいユーモア表現です。

探偵小説の素案を思いついて、「その筋書きは」というところでhe thoughtが入っているのは、まだこの男（スティーヴンズ）の主観の描写が続いていることを強調するためです。前に登場人物の主観を示す部分は日本語にするときに省くことが多いと説明しましたが、ここは**全能の語り手と登場人物の視点が混ざっている中で、著者が登場人物の視点であることを示**

しているので、訳でもそれに合わせたほうがいい。「その筋書きは、と彼は思い浮かべた」といった形でちゃんと訳したほうがいいと思います。ここでは「その筋書きは（と、彼は思い浮かべた）大量殺人者にして葬儀屋という人物を巡るもので」と訳しました。

翻訳テク

to explain the presence of inconvenient bodies in his shop.：

inconvenient は「都合が悪い」という意味ですが、inconvenient bodies（都合の悪い死体）はカー的な言葉の使い方です。アメリカではエンバーミングを全部葬儀屋がやりますので、処理中の死体がいろいろあってもおかしくないわけです。また小さな町だと葬儀屋が検視官を兼ねていることもあります。不都合な死体処分には便利な場所だということです。この箇所はそういった意味合いを強調して「都合の悪い死体が多々あっても、店が店だから、で説明がつく」と訳しました。

まとめ

クリスペンの町にある葬儀屋をスティーヴンズの視点で描写しています。カーらしいユーモラスな表現がいろいろと出てきて面白いのですが、この葬儀屋は後に重要な場所として登場します。

【実践翻訳ゼミナール❺】

以下の英文を、色文字（語彙・表現）、下線（翻訳テク／注意！）、網のかかった箇所（翻訳指南）に留意しながら訳してみましょう。

❺ But, after all, J. Atkinson had probably been called in at the death of old Miles Despard so recently....

If there were any reason why Crispen existed at all, that reason was Despard Park. Crispen had been named after one of the four commissioners who, in the year of grace 1681, had been sent out to prepare the site of a city in the newly ceded territory of Pennsylvania, just before Mr. Penn himself came to make peace with all men in the gracious woods between the Schuylkill and the Delaware. William Crispen, a kinsman of William Penn, had died on the voyage out. But a cousin named Despard (the name, according to Mark Despard, was originally French and had undergone some curious changes of spelling) had obtained a grant of land in the country, and there had been Despards at the Park ever since. Old Miles Despard—that stately reprobate, the head of the family—had died less than two weeks ago.

❺ 翻訳スタート！

翻訳テク

But, after all, J. Atkinson had probably been called in at the death of old Miles Despard so recently....：デスパード老人が死んだあとだということが説明されています。つまりすでに事件が起こっていることが示されています。

called in at the death of は「～が死んだ際には、その用向きで呼び出された」と丁寧に訳しました。

翻訳テク

If there were any reason why Crispen existed at all, that reason was Despard Park.：前の文はスティーヴンズの視点でしたが、ここからはクリスペンという町の歴史的由来が全能の語り手によって説明されていきます。全能の語り手なので説明を上手にすることができる。これを

視点を確認！
このブロックでは**全能の語り手の視点**（黒字）と**登場人物スティーヴンズの視点**（赤字）が入り混じっています。

【宮脇訳】

だが、J・アトキンスンも、ついこのあいだマイルズ・デスパード老人が死んだ際には、その用向きで呼び出されたに違いない……。

そもそもクリスペンが存在している理由があるとすれば、それはデスパード・パークのためだった。クリスペンという地名は、1681年、勅許によって新たに下賜されたペンシルヴェニアの土地に町を造るべく、下準備のため送り込まれた4人の監督官の一人にちなんでつけられた。その直後、ウィリアム・ペンその人がやってきて、スクールキル川とデラウェア川のあいだに広がる恵み深い森林地帯に住むすべての人々と友好関係を結んだ。ウィリアム・クリスペンは、そのペンの同族だったが、航海の途中で死んだ。しかし、デスパード（マーク・デスパードによれば、その名字はもともとフランス語だったが、いつの間にか妙な具合に綴りが変わったという）という従兄弟がその一帯に土地取得の権利を得て、それ以来、デスパードを名乗る人々がその邸宅で暮らしている。マイルズ・デスパード老人——神に見放された傲岸不遜な人物にして、当主——が死んでまだ2週間もたっていない。

スティーヴンズの視点で書こうとすると、歴史を知るために本を読んだとか、図書館に行ったとかいう裏付けが必要になりますが、**全能の語り手なので簡潔に説明できるというわけです。視点が切り替わったことを意識して訳しましょう。**

訳は「そもそもクリスペンが存在している理由があるとすれば、それはデスパード・パークのためだった」。つまりデスパード・パークのまわりに町ができていったということです。

歴史的用語に注意して訳そう ◀ 独立戦争前のアメリカに州はない

in the newly ceded territory of Pennsylvania：「勅許によって新たに下賜されたペンシルヴェニア」。

ここでは歴史的な用語やトピックが出てきます。アメリカの歴史が好きな人には面白い部分となるのでしょう。独立戦争前で、まだアメリカはイギリス国王の持ち物（所有）です。イギリス国王所有のペンシルヴェニアというところに、民間人に下げ渡した土地があり、その下準備のためにイギリスから4人の監督官が来て、その中の一人の名前にちなんでつけられたということになっています。

注意!

Pennsylvaniaは「ペンシルヴェニア州」と訳さないように。この時点ではまだ州はできていない。「ペンシルヴェニアという土地」になります。

語彙・表現

gracious woods：「恵み深い森林地帯」と訳しました。食べ物になる動物もいっぱいいるし、木や草もよく茂るということをgraciousといっているわけです。

the Schuylkill and the Delaware：theがついているのでどちらも川の名前。「スクールキル川とデラウェア川」です。

just beforeは「その直後」と訳すとうまくいく

翻訳テク

Crispen had been named after one of the four commissioners who, in the year of grace 1681, had been sent out to prepare the site of a city in the newly ceded territory of Pennsylvania, just before Mr. Penn himself came to make peace with all men in the gracious woods between the Schuylkill and the Delaware.：長い文です。一文にしようとしてjust before以下から訳していくと「ミスター・ペンが…する前に～」となりますが、上から順に訳していかないと、時間的な順序が逆になってしまいます。

just before：このjust beforeは「その直後」と訳すといいでしょう。つまり「クリスペンという地名は、1681年、勅許によって新たに下賜されたペンシルヴェニアの土地に町を造るべく、下準備のため送り込まれた4人の監督官の一人にちなんでつけられた」と**前から順番に訳していき、「その直後、ウィリアム・ペンという人がやって来て～」と続けます**。ペンシルヴェニアはこのウィリアム・ペンから取った地名なのです。

to make peace with all men：「そこに住むすべての人々と友好関係を結んだ」とはどういうことでしょうか。要するにアメリカ先住民族（インディアン）がいたわけですね。先住民族の土地だったので、一応話し合いでもらった。**穏便に友好関係を結んで土地をもらえたと書いています。**

短い一節ですが、アメリカ開拓史、独立以前の開拓史に少しだけ触れています。

語彙・表現

a kinsman of William Penn：ウィリアム・ペンの親戚あるいは同族

日本語と英語では単語の語義がずれることも

cousinは「いとこ」より範囲が広い

But a cousin named Despard ～：訳は「そのいとこのデスパードという人が～」となります。ところで**cousinは日本語のいとことは語義が少し違います。いとこの子供もcousinで範囲が広い**のです。通常は「親戚」と訳してもいいと思います。first cousin（日本語のいとこ）、second cousin、third cousinと親等が離れていく場合にも使います。あとremoved（一世代下の）という言葉も家系用語としてよく使われます。

日本語の「いとこの子供」を厳密に表現する場合はfirst cousin once removedといいます。いとこの孫はfirst cousin second removed。全部cousinがつきます。

そして、通常、厳密に表現しない場合は、いとこも、またいとこやいとこの子供や孫、またいとこの子など全部cousinで表現します。

このようにcousinの意味が広いのですが、ここではとりあえず「いとこ」と訳しておきます。

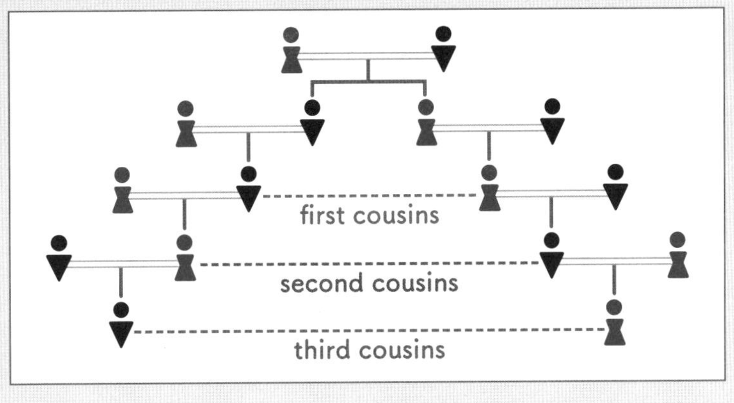

翻訳テク

the name ... was originally French and had undergone some curious changes of spelling：苗字がもともとフランス語だったが、いつのまにか妙な具合に綴りが変わった、とあります。もともと名字がフランス語だったことには意味があるのか。カーのことですから何か意味があるかもしれません。ということで元のフランス語の名前が何だったのか、どう変わったのか、可能性をいろいろ考えてみましたがよくわかりませんでした。

語彙・表現

a grant of land：土地取得の権利
stately：veryと同じ意味。わざとこういう言葉を使うのがカーの気取ったところです。

最後まで読んで全体を把握していないと訳せない

reprobateをどう訳すか？

Old Miles Despard—that stately reprobate, the head of the family—had died less than two weeks ago.：ここから物語は本題に入っていきます。死んだ老人の話です。語り手による説明で進みます。

「とてもreprobateな一族の当主が死んでからまだ2週間たっていない」ということですが、reprobateという単語の意味は何でしょうか。

ランダムハウス英和辞典で見ると「自堕落な人間、無頼漢、放埒な人間」というのが真っ先に出てきます。

OEDでは「rejected by God」がまず最初に出てきます。そのあとにOne lost in some sinsというのがありますが、一番大きい意味が「神に拒絶された」なのです。

多分、カーはrejected by Godの意味で使っています。**神様に嫌われるくらい、神様のもとに行けないくらいひどいことをしてきたやつという意味**だろうと判断しました。

「放埒」という意味であるにしても「神に見放された」という訳をつけたほうが作品の意図に合うと思います。「神に見放された無頼漢」といった感じにすべきかと思います。

死んだ老人に対して**「神に見放された人間」という表現が適切だと判断したのは、ホラー的な側面に着目すれば、彼はスティーヴンズの妻のマリーから「仲間」だとみなされた人物だから**です。

ミステリ的にはこの老人は親族に殺されたことになっていますが、実際はマリーが、神に見放された自分たちと同じような堕落した人間である老人を自分たちの同類（作中ではnon-deadと呼ばれています）にしようと目論んで殺したのです。

最後まで読むと、ある儀式のもとに殺すとまた生まれ変わることになっています。

現実としては殺したことになるのですが、ホラー小説としては「生まれ変わりの仲間にした」ということになる。したがって、ここは**「神様が見限ったやつ」としたほうが、ホラー的な解釈があとでつながる**と思います。

まとめ **クリスペンの町の中心にあるデスパード家についての由来がアメリカの歴史を絡めて説明されていきます。そして、最後に当主であった老人が2週間前に死亡したことが明らかになります。事件はすでに起こり、その影響で事態が動き出していることがなんとなく感じられるところです。**

〈ミステリ＋ホラー〉の構造を理解していないと訳すのが難しい小説

ネタバレ御免解説

『火刑法廷』はミステリ小説であり最終的にはホラー小説なのですが、読んでいるときはなかなかこのことがわからない。エピローグにきてみんな驚くと思います。

ホラー小説としては何度も何度も生まれ変わって悪いことをしている二人組の物語です。主人公のスティーヴンズの妻、マリーと、作家のゴーダン・クロスです。

マリーが隣家のマイルズ・デスパードという老人を殺しています。魔法を使って、壁を通り抜けてヒ素を飲まして殺しているのです。

最初は病死として処理されますが、矛盾点が見つかり、犯人はあわてる。そこで、仲間のゴーダン・クロスに助けを求めるという流れになっています。

ミステリ小説の流れではゴーダン・クロスは名探偵役です。

彼が緻密な論理を組み立てて、犯人は別にいるとする。合理的な解釈をするんですね。メイドが見た壁を通り抜けた謎の魔女は鏡を使ったトリックであるとゴーダン・クロスが強弁して、犯人は別にいるということになる。

この家の遺産相続者の誰かが犯人だということで犯人を指摘する。

小説の中の「現実」では犯人は甥の一人ということになります。ゴーダン・クロスという、かみそりみたいに頭がきれる男が、今ある手がかりから事件をでっち上げ、矛盾しない事件を作り上げて、その結果被害者の甥が犯人だということになる。それ自体は全部理屈に合っています。緻密な論理に基づいた推理でミステリとして話は完結します。つまりミステリとしての犯人も早速一章に登場しているということになります。

しかも、逃げるように仕向けられた甥は逃亡し、犯人行方不明のまま、陪審団がこの男を犯人だと決めるというのが現実の事件の結末です。

しかし、最終章まで読むとそれがひっくり返されます。

マリーとゴーダン・クロスが生まれ変わりの殺人狂の二人組だと読者に明らかにされるのです。最後にひっくり返してホラーになってしまう。

こうした複雑な構造をわかった上で一章から訳していかないと、わけがわからない。読んでも最初はわけがわからないということになるのです。

「生まれ変わり」の設定がさらにわかりにくくさせている？

この小説をわかりにくくさせている理由の一つに設定の問題があります。

ゴーダン・クロスとマリーの二人が「生まれ変わり」をずっと繰り返しているという設定が、あまりはっきり書かれていないのでわかりにくい。インターネット上で見られる一般の読者の感想を見ても、「わけわからない」というのが多い。本当かウソかわからない書き方をしていますので。読者がそれぞれで辻褄を合わせながら読んでいかないといけない。

さらに**キリスト教における「生まれ変わり」という設定が日本人にはわかりにくい**。不老不死だとわかりやすいんです。萩尾望都の『ポーの一族』の吸血鬼のように不老不死でずっと18世紀から生き続けているというのならまだわかる。

仏教的な輪廻転生とは違い、あまりに邪悪な人間は、魂が神様に受け入れてもらえず、生まれ変わりを繰り返す。天国に行けず、何度も何度もループして、永遠に地上を彷徨っている者をここでは「生まれ変わり」といっています。

だからマリーとゴーダンは「死なない者（non-dead）」と呼ばれているわけです。

神に拒絶された生まれ変わりの男女二人が暗躍している……おそらく、これくらい事情を知ってから読み直すといろいろわかってきて面白く読めるでしょう。

これまたわかりにくい「香油」のイメージ

マリーが老人を殺害するため（生まれ変わりの仲間にするために）に壁を通り抜けることになっていますが、このシーンもわかりにくい。

特別な薬を身体に塗ると、壁を通り抜けられるという設定です。身体に塗るのは香油。聖書に出てきますね。化粧品の中に香油（英語では ointment）の瓶があって、それを身体に塗ると、壁を通り抜ける力が生まれるという、ファンタジー的な設定になっています。

なお香油という単語はこの1冊の中で3回しか出てきません。（電子書籍なら単語レベルで検索ができるので調べたことがあります）。だからほとんどの読者は香油が出てきたということを覚えていません。

この香油に気がついて、香油をいったい何に使ったんだろうと読み直すと、ああ、壁を通り抜けるときに使っているんだということがわかる。そういう書き方をしています。

しかも**従来の翻訳版では「軟膏」や「塗り薬」と訳しています。「香油」なら聖書をイメージして神秘的な感じを受けますが、軟膏だと痔の薬みたいで、霊験あらたかな壁を通り抜ける秘薬というイメージは出てきません。**

この手の話を読み慣れた読者でも、香油については気がつかないかもしれません。神秘的な香油というアイテムを使って壁を通り抜けているということに気がつかないで、「なぜ、軟膏を塗りたくるんだ？」と思った読者はいるかもしれません。

このように日本人にとって、面白さを十分に理解するにはなかなかに敷居の大変高い作品なのです。

ただ、英語読者も理解できていない人も多いのでは?と思います。

ある意味、英語読者も日本人と同じ立場に立っている作品です。

カーの作品は何回も読めるんですよ。そのたびにいろいろ発見してわかってきて「面白い」と思いました。

ちなみに『火刑法廷』を40年間に4回読みました（笑）。それでもまだ、カーの意図をすべて理解できているわけではないと思います。あまりに細かいことが多すぎて、すぐ忘れちゃうんですね。

【実践翻訳ゼミナール❻】

以下の英文を、色文字（語彙・表現）、下線（翻訳テク／注意！）、網のかかった箇所（翻訳指南）に留意しながら訳してみましょう。

❻ Waiting for his train, Stevens wondered idly whether Mark Despard—the new head of the family—would drop in for a chat that night, as he usually did. Stevens's cottage was not far from the entrance-gates of the Park; they had struck up a friendship two years ago. But he hardly expected to see either Mark or Lucy, Mark's wife, tonight. True enough, old Miles's passing (he had died of gastro-enteritis, after reducing the lining of his stomach to a pulp with nearly forty years' high living) would be not much lamented: old Miles had lived so much abroad that the rest of the family scarcely knew him. But there would be a great deal of business on the skirts of death. Old Miles had never married; Mark, Edith, and Ogden Despard were the children of his younger brother. Each should inherit substantially, Stevens thought without great interest.

❻ 翻訳スタート！

翻訳テク

Waiting for his train, Stevens wondered idly whether Mark Despard—the new head of the family—would drop in for a chat that night, as he usually did.：語り手が引っ込んで、スティーヴンズの視点（ボイス）からの描写となっていきます。ここは**wondered idly のところで一回切る**と、あとをうまく訳せます。「～ぼんやりと考えていた。マーク・デスパード――新しい当主――は、いつものように～」。

翻訳テク

Stevens's cottage was not far from the entrance-gates of the Park：「スティーヴンズのコテージはパークのエントランスゲートから遠くなかった」とも訳せますが、ここはご近所感を出すため「そう離れていない」と訳してみました。

語彙・表現

True enough：なるほど

視点を確認!

このブロックはすべて**登場人物スティーヴンズの視点**で書かれています。

【宮脇訳】

列車を待ちながら、スティーヴンズはぼんやり考えていた。マーク・デスパード――新しい当主――は、いつものように今夜もうちにきて世間話をしてゆくだろうか。スティーヴンズの別荘はパークの入口からそう離れていないところにあり、2年前から親しくつき合っていた。しかし、今夜は、マークも、妻のルーシーも、やってこないだろう。なるほど、マイルズ老人が世を去ったからといって(死因は胃腸炎、40年に及ばんとする贅沢三昧で胃壁は爛れきっていた)、嘆く者はあまりいないだろう。老マイルズは海外生活が長かったので、家族のほかの者とはほとんど馴染みがなかった。それでも人が死ぬと周辺には雑用が増えるものだ。老マイルズは一度も結婚したことがなく、デスパード家のマークと、イーディスと、オグデンはみんな弟の子だった。めいめいが結構な遺産をもらうことだろう、とスティーヴンズはさして興味もなく思った。

gastro-enteritis：胃腸炎
the lining of his stomach：彼の胃壁
pulp：「どろどろになっているもの」。ここでは「爛れ」。

翻訳テク

he had died of gastro-enteritis, after reducing the lining of his stomach to a pulp：スティーヴンズの視点でマイルズ老人の死因が書かれています。死因は胃腸炎。昔は胃の病気で死ぬ人が多かったんですよね。ちなみに夏目漱石の死因も胃潰瘍でした。

作者がどこまで意図して書いているかを見極めて訳す

できれば多くの作品を読んで作家の癖も心得ておきたい

on the skirts of death：「死の周辺では」。カーがいかにも書きそうな表現です。

「人が死ぬと周辺では」と訳してしまっていいと思います。このように意味を取って訳す場合と、むりやり、直訳っぽく訳す場合とがあります。

on the skirts of のように**著者の手癖で書いていると判断できるところは、ある程度流して**訳していいです。一方著者が意図して書いているところは、その**意図を考えて訳さないといけない。場合によってはやや直訳的に訳す必要**も出てきます。

ただ、手癖かどうか判断するにはその作家の作品を数多く読んでいないとできません。

カーの文章の癖を一つご紹介すると、**非常に曲がりくねった表現をしているときは、裏の意味があることが多いのです**。何かを隠そうとしてそういう書き方をしている。

たとえばときどき「スプラッターか」と思うほど血まみれのシーンが出てくることがあります。その**血まみれのシーンのあとに手がかりをちょっと出すことが多い**んですね。読者が血に目を奪われているところで、こっそり手がかりを入れる。ですからカーを読み慣れている人は血まみれシーンがあると、「あ、次に手がかりがくるな」と思って読みます。そういうある意味、単純なところもある作家でもあります。

いずれにせよ、作品をいろいろ読まないとわからないですね。

カーの小説は、彼の**作品をたくさん読んでその手癖を知り、どこまで意図して文章を書いているかをいちいち考えないとなかなかうまく訳せません**。翻訳する上ではとても難しい作家です。

翻訳テク

Stevens thought without great interest.：デスパードの人々はそれぞれ結構な遺産を相続するだろうということを「スティーヴンズはさして興味もなく思った」。最後に**Stevens thought でもう一回念押し**をしています。ここまですべてスティーヴンズの主観です、ということを示しているのです。

まとめ

マイルズ老人のことが死因と共に簡単に紹介されていきます。そして新しい当主となった甥のマーク・デスパードをはじめ妻のルーシー、マークの兄弟たちの名前も出てきて、ミステリを読む上での必要なカードをとりあえずすべて出しています。

ディクスン・カー作品の面白さ、難しさ

大昔、カーの作品を最初に英語で読んだときは、全然わかりませんでした。それでカーはずっと苦手だったのです。カーの小説の特徴ですが、話がいつもわかりにくい。

無造作に手がかりを放り出したりしているので、それを拾い集めて解釈するのが大変なんです。

苦手だったカーですが、ここ20年くらいぼちぼち読むようになって、やはり、面白いなと思うようになりました。**読みごたえはある。あちこちに暗喩や伏線があるので、暗号解読みたいな感じ**です。

急いで読もうとするとだめです。普通の本なら、寝る前に50ページくらい読もうという感じですが、そういう読み方だと面白さがわからない。**少しずつ辞書を引きながらぼちぼちと、ちまちまと読んでいく読み方に合った作品**です。

カーの文章はうまい？　下手くそ？

カーは文章がうまいのか下手なのかまったくわからない作家で、いまだに不思議です。

いわゆる名文家ではありません。ただ、いろいろな表現方法を知っています。作者があいまいな表現で示したことは多くの読者は読み飛ばして、理解していないでしょうが。

カーの作風は「怪奇ミステリ」のほかに、もう一つユーモア・ミステリがあります。どたばたミステリもいっぱい書いています。ただその**ユーモアが伝わってこないきらいがあります。笑っていいのかわからない書き方の表現**が結構あります。主人公が酔っ払って変なことをするとか、酔っ払って暴れまくるというのが「面白いだろう」とばかりいっぱい書いてあって、それがユーモアだということになっているのだけど、読むほうはあんまり面白くないなと思いながら読んでいたりする。

ヘタウマな作家ではあります。書きすぎなんだと思います。

パロディっぽいことも、メタフィクションっぽいこともやっています。ミステリの中で、登場人物がミステリのことを考えているとか。そういうのも多いですね。

ちなみに、カー本人は「気さくなおっさん」だったみたいです。

【実践翻訳ゼミナール⑦】

以下の英文を、色文字（語彙・表現）、下線（翻訳テク／注意！）、網のかかった箇所（翻訳指南）に留意しながら訳してみましょう。

⑦ The entrance-gates to the station platform had rattled open now; Stevens swung aboard the Main Line train and pushed forward to the smoking-car. The spring night had turned from grey to black. But even in the gritty air of the shed, even in the thick air of the car with its pale dispirited roof lights, there was a smell of spring that would stir the blood in the countryside. (This led his thoughts to Marie, who would meet him at Crispen with the car.) The train, less than half full, had its usual somnolent air of people crackling fat newspapers and blowing smoke over their shoulders. Stevens settled down with his briefcase across his knees. With the idle curiosity of a contented man, he fell to turning over in his mind two rather puzzling happenings which had been occurring to him all day. It was characteristic of the man that he did not try to reason them out; he only tried to devise imaginative explanations which would fit them.

⑦ 翻訳スタート！

できる限り状況を把握して訳そう ◀ 古い時代の鉄道システムを調べる

The entrance-gates to the station platform：「駅のホームへと通じるゲート」。

ここまでスティーヴンズはずっと列車を待っていました。7分で列車が到着するということでしたから、その7分のあいだにブロック❻にあったようないろいろなことを考えていたことになります。

そのあいだに列車が到着してプラットフォームのエントランス・ゲートが開きました。さて、このシーンですが、**列車乗車時は改札を通らないこと**にお気づきでしょうか。

改札は降車時に通ります。乗車時は列車が来るとホームに入るゲート

視点を確認!
このブロックでは**全能の語り手の視点**(黒字)と登場人物スティーヴンズの視点(赤字)が入り混じっています。

【宮脇訳】

駅のホームへと通じるゲートが音をたてて開いた。スティーヴンズはメイン線の列車に飛び乗り、喫煙車へと突き進んだ。春の宵は灰色から黒へと色を変えている。だが、構内のほこりっぽい空気の中にも、白々とした元気のない天井灯に照らされた、むっとする車内の空気の中にも、田舎に来た者の血を騒がせてくれる春の香りが漂っていた。(それでマリーのことを思い出したが、マリーはクリスペンの駅に車で迎えに来てくれることになっている)半分も座席が埋まっていない車内は、いつもと同じく眠気を誘うようで、乗客たちはがさがさ音をたてて分厚い新聞をめくったり、肩越しに煙草の煙を吹き上げたりしている。スティーヴンズは腰を下ろすと、書類かばんを膝に載せた。そして、満ち足りた男の怠惰な好奇心から、朝からずっと気になっている二つの出来事を思い返してみた。理性で説明をつけようとしないのは、性格がそういうふうになっているからである。代わりに想像力を働かせ、単に思いつきで辻褄を合わせようとした。

が開くだけです。この話でも、駅のホームへ通じるゲートが直接開きました。それをentrance-gatesといいます。

古い時代の鉄道システムを調べないといけないところです。昔は大変でしたが、今はネットなどで簡単に調べられます。

たとえ文の表面には表れていなくとも、登場人物の行動や設定について矛盾のない説明ができるように、できうる限り調べをつけて状況を把握するように努めるのが翻訳のだいご味でもあります。

翻訳テク Stevens swung abroad the Main Line train and pushed forward to the smoking-car.:これは、普通に電車に乗ったのではなく身体をふりあげる(swing)ように乗ったということです。だから「飛び乗る」といった感じで訳しましょう。

pushed forward to the smoking-carは、電車に飛び乗ってそのまま喫煙車に向かうところですが、went toではなく、push forwardという言葉が使われていることに注意しましょう。前のめりに突き進んでいったわけで、とてもタバコを吸いたかったのでしょう。なおこの時代、アメリカの電車には喫煙車があったということもわかります。

翻訳テク

The spring night had turned from grey to black.：日が暮れて暗くなったことを「春の夜はグレーからブラックに変わった」と書いています。作品の雰囲気に合わせて「春の宵は灰色から黒へと色を変えている」と訳しました。

翻訳テク

But even in the gritty air of the shed：gritty air of the shedとは何でしょうか。shedは「小屋」。鉄道のホームで小屋というと、待合室かな？と思ったんですが、これも今すぐ調べられるので調べてみました。

この写真に見られるのがshedです。屋根がついています。駅の構内ということでよいと思います。「構内の埃っぽい空気の中にも」という感じです。

やたらと形容詞の多い19世紀風の表現

翻訳テク

even in the thick air of the car with its pale dispirited roof lights：in the thick air of the carは「むっとする車内の空気の中」。

with its pale dispirited roof lightsのpaleは「白々とした」、dispiritedは「元気のない」という意味なので「白々とした元気のない天井灯に照らされた」といった感じです。

通して訳すと「白々とした元気のない天井灯に照らされた、むっとする車内の空気の中にも」。

このあたりやたらと形容詞をつけています。これは**19世紀の本を読んでいた人特有の表現、19世紀風の形容詞過多な表現**です。

語彙・表現

stir the blood:「血をかき混ぜる」、つまり「血を騒がせる」といった感じの表現です。

翻訳テク

Marie, who would meet him at Crispen with the car:マリーはクリスペンの駅にcarで迎えに来るとあります。ここまで出てきたcarは、列車の車両のことでしたが、このcarは車でしょう。マリーが車で迎えに来てくれることになっていたのだと考えました。

翻訳テク

The train, less than half full, ～:車内の様子をスティーヴンズの目から書いてあるところで、そんなに難しくないところです。半分ほど席が埋まっていない車内が表現されています。

語彙・表現

somnolent:「眠気を誘う」という意味。難しい単語を好んで使うカーの癖が見えます。usual somnolent airで「いつもと同じように眠気を誘うようで」という感じです。
crackling fat newspapers:がさがさ音をたてて、分厚い新聞をめくる

動作の流れに即して訳す

翻訳テク

Stevens settled down with his briefcase across his knees.:ここの翻訳のコツとしては「スティーヴンズは腰を下ろして」のところで区切って、二つに分けて訳すことです。**「書類かばんを膝に載せて、座った」とするよりも「座って、書類かばんを膝に載せた」という順番のほうがいい**と思います。そのほうが動作の流れが頭にすんなり入ってきます。
　ちなみに書類かばんの中にはゴーダン・クロスの原稿が入っています。そのことをいいたいがために書類かばんを膝に載せたと書いているところです。

翻訳テク

With the idle curiosity of a contented man:スティーヴンズの視点からの文が続いていましたが、「満ち足りた男の怠惰な好奇心が……」といった表現はスティーヴンズ本人が自身について思うわけはないので、ここは、**語り手がうっかりちょっと顔を出した**ように思います。文の後半はきちんとスティーヴンズの視点になっています。

語彙・表現 turning over in his mind：思いをめぐらせる
puzzling happenings：不可解な出来事

翻訳テク two rather puzzling happenings which had been occurring to him all day：直訳すると「朝からずっと起こっている二つの不可解な出来事」ですが、これは「朝からずっと気になっている二つの出来事」とちょっと変えて訳しました。

語彙・表現 reason them out：理性で片付ける

翻訳テク It was characteristic of the man that he did not try to reason them out：自分のことをthe manというはずはないので、ここも語り手が登場しています。「理性で説明をつけようとしないのは、性格がそういうふうになっているからだ」と、ここからはスティーヴンズの性格的特徴を書いています。

語彙・表現 devise：考える、作成する
imaginative explanation：想像上の説明

翻訳テク he only tried to devise imaginative explanations which would fit them：「（理性を使わずに）想像上の説明を作ろうとした」。つまり馬鹿だということをいっています。

「うすうす気がついているけれど、全体像をつかめない男」を表現しているわけです。**「想像上の説明を作る」はわかりにくいので、「代わりに想像力を働かせて、単に思いつきで辻褄を合わせる」と訳しました。**

まとめ

スティーヴンズがどうやらあまり鋭くはない人物であることなども紹介される中、しかし、彼が朝から気になっている「二つの不可解な出来事」など、物事が動き出している気配が感じられます。一章はまだ続きますが、その最後には鈍感なスティーヴンズでもびっくりするような事実が判明します。この先はぜひ原書に当たってみてください。

細部の訳し間違いが大きなダメージに！

これはカーの作品にかぎらず、ミステリ全般にいえることですが、訳すときには細かいところに気を配る必要があって、普通の小説を訳すとき以上に気疲れします。もちろん、普通の小説であっても同じように細かく気を配りつつ翻訳作業を進めるわけですが、**うっかり訳し間違えたり、単語を訳し飛ばしたりしたときのダメージは、ミステリのほうがはるかに大きい**ので（ミスしたところが大事な伏線だったりします）、気が抜けないのです。

たとえば、登場人物がドアを開ける場面でも、ドアの開け方に注目しなければなりません。

He opened the door.

と書いてあればいいんですよ。「彼はドアを開けた」と訳せばいいんですから。

しかし、おうおうにして、ミステリ作家は、

He pushed open the door.

とか、

He pulled open the door.

といった書き方をします。ドアを押して開けたか、引いて開けたかまで書いてあるのです。こういう場合は、「彼はドアを押し開けた」とか「彼はドアを引き開けた」などと訳さなければなりません。あとになって、そのドアが通路側に開くか、室内側に開くかを、名探偵が問題にしたりするからです。

この『火刑法廷』でも、課題にした箇所のすぐあと、第一章の後半に、スティーヴンズがゴーダン・クロスらしき男を自分が勤める出版社内で見かけたときの話が出てきます。

課題に出てくるゴーダン・クロスの原稿を編集長から渡されて、きみはこの著者と会ったことがあるか、と訊かれて、スティーヴンズはこう答えます。

"No. I think I've seen him in the office once or twice, that's all," Stevens answered, with a recollection of a broad back ducking round a corner or pushing through a door.

「いいえ。社内で一、二度見かけたことがありますが、それだけです」と、スティーヴンズは答え、ducking round a corner したり、pushing through a doorしたりしていた広い背中を思い出した。

というわけです。おおざっぱにいえば、ducking round a corner は「角を曲がること」、pushing through a door は「ドアをくぐること」ですから、「角を曲がったり、ドアをくぐったりしていた広い背中を思い出した」と訳せます。

しかし、角を曲がるのは、turn round a corner が一般の表現であり、ドアをくぐるのは go through a door が普通の表現ですから、duck や push という動詞を使っていることにはなんらかのニュアンスが込められていると考えなければなりません。そこで、細かく気を配りつつ、

「いいえ。社内で一、二度見かけたことがありますが、それだけです」と、スティーヴンズは答え、広い背中がそそくさと角を曲がったり、ドアを押し開けたりしていたのを思い出した。

などと訳すことになります。duck は「人に見られるのを恐れててきぱき行動すること」というニュアンスです。オフィスのドアは室内側に開く、と考えれば(通路側に開いたら通りすがりの人に当たります)、ドアを push するというのは部屋に入る動作でしょう。またスティーヴンズがその人物の顔を見ていないことを表すため、「背中を見た」と書かれています。

書いているだけで気疲れしてきました。

【第四章】

短篇

The Riddle
なぞ

by Walter de la Mare
ウォルター・デラメア

作者の仕掛けた謎の答えは何か?
ヒントや手がかりを丁寧に訳す

さりげなく書かれた
ヒントや背景を丁寧に訳す。
しかし「解釈」は不要

難易度

語彙 ★★☆　文章 ★★☆　感応力 ★★★

まずは次ページから作品に目を通してください➡➡➡

次の英文を、「時代背景」「ほのめかし」に気をつけながら
読んでみましょう。

The Riddle

by Walter de la Mare

❶ So these seven children, Ann and Matilda, James, William and Henry, Harriet and Dorothea, came to live with their grandmother. The house in which their grandmother had lived since her childhood was built in the time of the Georges. It was not a pretty house, but roomy, substantial, and square; and an elm-tree outstretched its branches almost to the windows.

When the children were come out of the cab (five sitting inside and two beside the driver), they were shown into their grandmother's presence. They stood in a little black group before the old lady, seated in her bow-window. And she asked them each their names, and repeated each name in her kind, quavering voice. Then to one she gave a work-box, to William a jack-knife, to Dorothea a painted ball; to each a present according to age. And she kissed all her grand-children to the youngest.

❷ "My dears," she said, "I wish to see all of you bright and gay in my house. I am an old woman, so that I cannot romp with you; but Ann must look to you, and Mrs. Fenn too. And every morning and every evening you must all come in to see your granny; and bring me smiling faces, that call back to my mind my own son Harry. But all the rest of the day, when school is done, you shall do just as you please, my dears. And there is only one thing, just one, I would have you remember. In the large spare bedroom that looks out on the slate roof there stands in the corner an old oak chest; aye, older than I, my dears, a great deal older; older than my grandmother. Play anywhere else in the house, but not there." She spoke kindly to them all, smiling at them; but she was very aged, and her eyes seemed to see nothing of this world.

And the seven children, though at first they were gloomy and strange, soon began to be happy and at home in the great house. There was much to interest and to amuse them there; all was new to them. Twice every day, morning and evening, they came in to see their grandmother, who every day seemed more feeble; and she spoke pleasantly to them of her mother, and her childhood, but never forgetting to visit her store of sugar-plums. And so the weeks passed by.

❸ It was evening twilight when Henry went upstairs from the nursery by himself to look at the oak chest. He pressed his fingers into the carved fruit and flowers、and spoke to the dark-smiling heads at the corners; and then, with a glance over his shoulder, he opened the lid and looked in. But the chest concealed no treasure, neither gold nor baubles, nor was there anything to alarm the eye. The chest was empty, except that it was lined with silk of old-rose, seeming darker in the dusk, and smelling sweet of pot-pourri. And while Henry was looking in, he heard the softened laughter and the clinking of the cups downstairs in the nursery; and out at the window he saw the day darkening. These things brought strangely to his memory his mother who in her glimmering white dress used to read to him in the dusk; and he climbed into the chest; and the lid closed gently down over him.

When the other six children were tired with their playing, they filed into their grandmother's room as usual for her good-night and her sugar-plums. She looked out between the candles at them as if she were unsure of something in her thoughts. The next day Ann told her grandmother that Henry was not anywhere to be found.

"Dearie me, child. Then he must be gone away for a time," said the old lady. She paused. "But remember all of you, do not meddle with the oak chest."

❹ But Matilda could not forget her brother Henry, finding no pleasure in playing without him. So she would loiter in the house thinking where he might be. And she carried her wood doll in her bare arms, singing under her breath all she could make up about him. And when in a bright morning she peeped in on the chest, so sweet-scented and secret it seemed that she took her doll with her into it—just as Henry himself had done.

So Ann, and James, and William, Harriet and Dorothea were left at home to play together. "Some day maybe they will come back to you, my dears," said their grandmother, "or maybe you will go to them. Heed my warning as best you may."

Now Harriet and William were friends together, pretending to be sweethearts; while James and Dorothea liked wild games of hunting, and fishing, and battles.

On a silent afternoon in October Harriet and William were talking softly together, looking out over the slate roof at the green fields, and they heard the squeak and frisking of a mouse behind them in the room. They went together and searched for the small, dark hole from whence it had come out. But finding no hole, they began to finger the carving of the chest, and to give names to the dark-smiling heads, just as Henry had done. "I know! Let's pretend you are Sleeping Beauty, Harriet," said William, "and I'll be the Prince that squeezes through the thorns and comes in." Harriet looked gently and strangely at her brother; but she got into the box and lay down, pretending to be fast asleep; and on tiptoe William leaned over, and seeing how big was the chest he stepped in to kiss the Sleeping Beauty and to wake her from her quiet sleep. Slowly the carved lid turned on its noiseless hinges. And only the clatter of James and Dorothea came in sometimes to recall Ann from her book.

❺ But their old grandmother was very feeble, and her sight dim, and her hearing extremely difficult.

Snow was falling through the still air upon the roof; and Dorothea was a fish in the oak chest, and James stood over the hole in the ice, brandishing a walking-stick for a harpoon, pretending to be an Esquimaux. Dorothea's face was red, and her wild eyes sparkled through her tousled hair. And James had a crooked scratch upon his cheek. "You must struggle, Dorothea, and then I shall swim back and drag you out. Be quick now!" He shouted with laughter as he was drawn into the open chest. And the lid closed softly and gently down as before.

Ann, left to herself, was too old to care overmuch for sugar-plums, but she would go solitary to bid her grandmother good-night; and the old lady looked wistfully at her over her spectacles.

"Well, my dear," she said with trembling head; and she squeezed Ann's fingers between her own knuckled finger and thumb. "What lonely old people, we are, to be sure!" Ann kissed her grandmother's soft, loose cheek. She left the old lady sitting in her easy chair, her hands upon her knees, and her head turned sidelong towards her.

❻ When Ann was gone to bed she used to sit reading her book by candlelight. She drew up her knees under the sheets, resting her book upon them. Her story was about fairies and gnomes, and the gently-flowing moonlight of the narrative seemed to illumine the white pages, and she could hear in fancy fairy voices, so silent was the great many-roomed house, and so mellifluent were the words of the story. Presently she put out her candle, and, with a confused babel of voices close to her ear, and faint swift pictures before her eyes, she fell asleep.

And in the dead of night she arose out of bed in dream, and with eyes wide open yet seeing nothing of reality, moved silently through the vacant house. Past the room where her grandmother was snoring in brief, heavy slumber, she stepped light and surely, and down the wide staircase. And Vega the far-shining stood over against the window above the slate roof. Ann walked in the strange room as if she were being guided by the hand towards the oak chest. There, just as if she was dreaming it was her bed, she laid herself down in the old rose silk, in the fragrant place. But it was so dark in the room that the movement of the lid was indistinguishable.

❼ Through the long day, the grandmother sat in her bow-window. Her lips were pursed, and she looked with dim, inquisitive scrutiny upon the street where people passed to and fro, and vehicles rolled by. At evening she climbed the stair and stood in the doorway of the large spare bedroom. The ascent had shortened her breath. Her magnifying spectacles rested upon her nose. Leaning her hand on the doorpost she peered in towards the glimmering square of window in the quiet gloom. But she could not see far, because her sight was dim and the light of day feeble. Nor could she detect the faint fragrance, as of autumnal leaves. But in her mind was a tangled skein of memories—laughter and tears, and little children now old-fashioned, and the advent of friends, and long farewells. And gossiping fitfully, inarticulately, with herself, the old lady went down again to her window-seat.

作者はこんな人

Walter de la Mare ウォルター・デラメア（1873-1956）
イギリスの小説家、詩人。児童文学作家であるとともに、幻想怪奇小説の書き手として知られる。両親はフランス系で、母は詩人のロバート・ブラウニングの遠縁にあたる。1902年に童謡詩集*Songs of Childhood*を出版し、一部の注目を浴びる。以降童謡詩や小説を執筆する。

宮脇メモ デラメアは子供向けの詩を多く書いた詩人で、イギリスの教科書には必ずその詩が載っているような人です。童話も有名ですが、大人向けの作品も評価されています。対象をあいまいに書いた「朦朧（もうろう）法」と呼ばれる手法で知られていて、怪奇恐怖小説ではヒントやほのめかしは作品の中に数多く散りばめられているけれど、真相は読者が自分で考えなければならないものが多いです。現代のホラー作家や幻想作家の多くは、その書き方の影響を受けています。一度読んだ程度では理解できない部分が多く、翻訳する上では非常に難しい作家です。翻訳者としては、難しいけれどチャレンジしたくなる作家です。

作品の紹介

The Riddle（なぞ）
祖母の古い屋敷にひきとられた7人の子供たちが、姿を消していくという不思議な話。1923年に出版された*The Riddle and Other Stories*の表題作。

宮脇メモ デラメアが若いときに書いた短篇です。題名“The riddle”は「なぞ（謎）」と訳しましたが、謎という意味の英語はたくさんあります。ミステリも謎の一つです。riddleは謎の中でも「なぞなぞ」という意味です。つまり答えがあるはずなんです。どういう話か謎を解きなさいという作者からの問いかけのようなタイトルでもあるんですけれど、何が正解かわからない不思議な話です。「何を書きたかったのか？」と多くの読者が問いかけていますが、「子供が消える話」というしかない。本文にはほのめかしやさりげないヒントが数多く散りばめられており、読解力を要求されます。デラメアは読解力が非常に高い読者、あるいは物語をありのままに受け止める子供を想定してこの小説を書いていたのだろうと感じさせるそんな作品です。

本書掲載の原文は、ロンドンで発行されていた文芸誌*The Monthly Review*の1903年2月号に掲載されたものを使用しました。現在流布している版は1947年に作者が手を入れたものです。

【この作品の翻訳ポイント】

翻訳ポイント 1

読者に向けて書かれた「手がかり」を丁寧に拾って訳そう

タイトルは「なぞ」。作者が読者に向けて投げかけた「なぞ」ともとれます。実際に本文の中には読者へ向けた「ヒント」「手がかり」と思われる表現が数多くあります。翻訳者はさまざまなヒントや手がかりを拾い上げて、丁寧に訳す必要があります。

注意すべきは**翻訳は「解釈」ではないということです。書いてある以上のことを翻訳で付け足してはいけません。**翻訳するためには、本文を深く理解すること、読解・解釈が必要ですが、しかし翻訳は「解釈」ではないからです。

作者が思わせぶりに書いているところは全部思わせぶりに訳してみてください。

本作品は5、6種類翻訳が出ていますが子供向けの翻訳などでは訳者の解釈を押しつけている翻訳もあります。そうならないように気をつけましょう。

作者が書いている以上のことを翻訳で書いてはいけない。と同時に「手がかり」が「手がかり」として機能するように訳さなくてはいけない。このあたりの塩梅はなかなか難しいところです。

翻訳ポイント 2

描かれている時代はいつ？　住居はどんな家？

小説で描かれているのは**だいたいいつの時代のことなのか。本文をヒントに調べ、推測してください。翻訳をする上での基本**ですね。また小説の舞台となっているのはイギリスの古い屋敷ですが、どんな家に暮らしているのかも、小説の中での描写をヒントにイメージして、訳していきましょう。なお、基本的な歴史の知識を持つイギリス人なら、子供たちが引き取られて暮らした家がどんな家なのか、さっとイメージできるように書かれています。

翻訳ポイント 3

シンボル・ハンティングをしながら訳していこう

この作品の中では丸いもの、四角いもの、先が尖った細い棒状のもののイメージが繰り返し登場します。これらのイメージを探しながら読み、訳すときも意識的に訳してみましょう。

【実践翻訳ゼミナール❶】ブロックごとに英文を訳していきましょう。

以下の英文を、色文字（語彙・表現）、下線（翻訳テク／注意！）、網のかかった箇所（翻訳指南）に留意しながら訳してみましょう。

❶ So these seven children, Ann and Matilda, James, William and Henry, Harriet and Dorothea, came to live with their grandmother. The house in which their grandmother had lived since her childhood was built in the time of the Georges. It was not a pretty house, but roomy, substantial, and square; and an elm-tree outstretched its branches almost to the windows.

When the children were come out of the cab (five sitting inside and two beside the driver), they were shown into their grandmother's presence. They stood in a little black group before the old lady, seated in her bow-window. And she asked them each their names, and repeated each name in her kind, quavering voice. Then to one she gave a work-box, to William a jack-knife, to Dorothea a painted ball; to each a present according to age. And she kissed all her grand-children to the youngest.

❶ 翻訳スタート！

「お話」風に訳してみたが、子供向けの作品ではない

翻訳テク

全体を読んだ印象として不思議な幻想的な作品だったので、「お話」風の語り口で訳してみました。ただ、内容が子供向け、児童小説というわけではありません。ですから「お話」風に訳さないといけないというわけではありません。不思議な味わいで、一読後、大人はいろいろ考えてしまう作品です。むしろ子供のほうが素直にこの不思議を受け入れて読むかもしれません。

話の途中から始まったような書き出しに注意

翻訳テク

So these seven children, ～：書き出しがいきなりSoで始まっています。ということは、この書き出しの前に何かがあったということです。読者も当然、「前にいったい何があったのだろうか」と想像しながら読んでいくということ

【宮脇訳】

というわけで、7人の子供、アンとマチルダ、ジェイムズ、ウィリアムとヘンリー、ハリエットとドロシーアは、おばあさんの家で暮らすことになりました。おばあさんが小さかった頃から住んでいるその家は、ジョージという名前の王様が何代か続いた時代に建てられたものでした。かわいらしいおうちではなかったものの、広く、しっかりした造りで、四角ばっていました。そして、楡の木が一本、窓のすぐそばまで枝を伸ばしているのでした。

その子たちは馬車から降りると（5人は中に、二人は御者の横に座っていましたが）、おばあさんのところに通されました。みんなは小さな黒い塊になって、張り出し窓のいつものところで椅子に座っている老婦人の前に立ちました。おばあさんはめいめいの名前を訊き、優しい、震える声でその名前を繰り返しました。そして、一人には裁縫箱を渡し、ウィリアムにはジャックナイフを、ドロシーアには絵が描いてあるボールを与え、めいめいにその年頃にふさわしい物を贈りました。それがすむと、一番下の子まで、順番に孫たちにキスをしました。

になります。これを翻訳でも表現するため、「というわけで」と訳しました。

イレギュラーな英文でもそのまま訳す

翻訳テク

Ann and Matilda, James, William and Henry, Harriet and Dorothea：7人の子供の名前が列挙されますが、不思議な書き方をしています。7名の名前を挙げるならAnn, Matilda, James, William, Henry, Harriet and Dorotheaのようにコンマでつなげて、最後にand ○○○とするのが通常の書き方です。でもこれは違います。ペアを作っています。**意図はわかりません。しかし作者からの何らかの手がかりだと思うので、そのまま訳しましょう**。アンとマチルダ、ジェイムズは単独で、次がウィリアムとヘンリー、ハリエットとドロシーアと訳していきます。こうしてみるとジェイムズだけ仲間外れのように見えますが意味はわかりません。ペアになっている子たちは仲良しなのかもしれませんし、ジェームズだけが味噌っかすなのかもしれません。よけいな細工はしないでそのまま訳します。

家が建てられたのはジョージ朝の時代

作品の時代はヴィクトリア朝

in the time of Georges：物語の時代背景はきちんと押さえましょう。

ジョージが複数形になっているので「ジョージという名前の王様が何代か続いた時代に」としました。

イギリスではエリザベス1世の死後、スチュアート朝（1371-1714）が続いたのですが、それもアン女王の死によって途絶え、その後ドイツの親戚筋で跡を継いだのがハノーヴァー朝（1714-1901）のジョージ1世（在位1714-1727）です。日本だと江戸時代の頃ですね。その後ジョージ2世、ジョージ3世、3世の息子のジョージ4世とウィリアム4世と続きます。

このあと再び、後継ぎ問題が起こり、ジョージ3世の4男エドワード・オーガスタスの娘のヴィクトリアが王位を継承し、ヴィクトリア朝（1837-1901）となります。

この物語の時代は恐らくヴィクトリア朝時代の後半、日本でいうと明治時代あたりの話と推測されます。そして**おばあさんの家はジョージ朝（1714-1820）のあいだのどこかで建てられたということになる**のでしょう。おばあさんの家は少なくとも100年以上前に建てられた古い家ということになります。（イギリスの古い建築様式については「補講」[184ページ] を参照）。

pretty houseといえばどの時代？

イギリス人ならピンとくる建築様式

not a pretty house：prettyについては「かわいらしい」と訳せばいいのですが、今まで翻訳講座で受講生のかたがたに訳してもらった例を見ると、「美しい」「きれい」「こぎれい」「すてきな」などいろいろな訳語があてられてきます。家の形容として「かわいい」がそぐわないと感じる人が多いのでしょう。

実は**pretty houseといえば歴史好きのイギリス人ならかなり具体的にイメージできるんです。**「アン女王様式」の建築物と理解するはずです。ヴィクトリア朝中期に流行った、丸みを帯びた可愛らしい家です。この記述から物語の時代はアン女王様式が流行したあと、つまりヴィクトリア朝後期ではないかと考えられるのです。

おばあさんの家はジョージ朝時代に建てられた家とありました。こちらは四角ばった家が特徴です。

アン女王様式については「補講」（187ページ）を参照してください。

翻訳テク

roomy, substantial, and square：roomyは「広い、空間が多い」という意味。substantialは、「しっかりしている」ということで、squareは「四角い」形を意味しています。「広くしっかりした作りで四角ばっていました」という感じです。翻訳のポイント③（177ページ）で触れたように、この作品には**いくつかの形がシンボルのように繰り返し登場**します。そこでここは**「四角」という言葉**を出しておいたほうがよいと思われます。

翻訳テク

an elm-tree outstretched its branches：elm-treeにanがついているのをちゃんと訳しましょう。「楡の木が1本」枝を伸ばしていたということです。家の横に木が1本。四角の横に縦の線があるというイメージです。

翻訳テク

the children：「子供たち」と今ではいいますが、本来、子供という言葉は複数形で、単数は子です。この点にこだわれば「その子たち」という訳になります。

語彙・表現

cab：馬車
driver：御者

手がかり的なものは丁寧に訳しておく

翻訳テク

five sitting inside and two beside the driver：5人は中にいて、二人は御者の横に座っている。5対2という数字にも意味がある可能性があるので、丁寧に訳してください。**謎解きをしたい人向けに手がかり的なものはちゃんと訳しておく**のが大事です。

作者の手がかりは解釈しすぎずに訳す

翻訳テク

They stood in a little black group：「So（というわけで）」という書き出しのヒントとなる部分です。子供たちはみんな黒い格好をしていることがわかります。喪服を着ているのだろうと推測できます。翻訳版には喪服とはっきり訳している例もありました。そのとおりなのですが、作者は喪服とは書いていません。そこで、解釈はせず「みんな小さな黒い塊となって」としました。**この小説はさりげない手がかりだけを示して、あとは読者が解釈していくという書き方をしているので、訳者の解釈はあまり入れないほうがいい**のではと考えました。

解釈としては子供たちが喪服を着ているということで、彼らは両親を亡くしたのだろうということが推測できます。

祖母か老婦人か表現の違いに注意

翻訳テク

the old lady：最初のところではgrandmotherと表現されていましたが、ここではold ladyとなっています。これは、誰の目で見ているかを示しています。子供から見ればおばあさんですが、第三者から見れば老婦人。したがって、**この文は第三者の語り手に視点が移っていると考えられ、「老婦人」と訳さないといけない**ところです。

翻訳テク

seated in her bow-window：bow-windowは「張り出し窓」です。**herがついているということは「彼女がいつもいる張り出し窓」**なのだろうと解釈しました。

よって、before the old lady, seated in her bow-windowは「張り出し窓のいつものところで椅子に座っている老婦人の前に」と訳しました。

語彙・表現

quavering：震える
work-box：裁縫箱

子供たちに与えられた物にも注目

四角いもの、棒状のもの、丸いもの

Then to one she gave a work-box, to William a jack-knife, to Dorothea a painted ball; to each a present according to age.：この文は非常に意味ありげです。おばあさんが子供たちにものを渡すのですが、名前が出てくる子と出てこない子がいる。名前の出てこない一人にはwork-boxを渡したとあります。作業箱という意味もありますが、ここでは裁縫箱だと思います。次にウィリアムとドロシーアは名前が出てきて、それぞれジャックナイフとボールを与えられ、あとは年相応のものを渡したとある。painted ballはどういうものかわからないのですが、絵の描いてあるボール、手まりのようなものかと解釈しました。

つまり**名前が出てくるのはウィリアムとドロシーアの二人、具体的な物は裁縫箱とジャックナイフとボールの3つ。これは何か謎に対するヒントではないか**と思われます。

そして**裁縫箱は四角く、ジャックナイフは尖ったもの、ボールは丸い**ものです。

家の描写では家は四角く、横に尖った木がありました。それにならうと裁縫箱は四角いものですが中には尖った針が入っています。

ちなみに私はこれを**作者の宣言**だと判断しました。つまりこの話には四角いものと先が尖った棒状のものと、丸いものがいっぱい出てくるという宣言です（詳しくは195ページの「補講」参照）。

翻訳テク

she kissed all her grand-children to the youngest：孫たちに年齢順にキスしたとあります。「一番下の子まで順番に孫たちにキスをしました」と訳しました。

まとめ

いきなり途中から始まったような書き出しですが、読んでいくと両親を亡くしたばかりの7人の子供たちが、祖母の家に引き取られたということが推測できます。祖母ともこれまであまり会ったことがなかったようで、謎めいた雰囲気の中で物語がスタートします。

“The Riddle”も収録された短篇集（ハードカバー）
Walter de la Mare, Short Stories 1895-1926 /
Walter de la Mare 著 / Giles de la Mare Pub Ltd 刊

物語の理解に必要
イギリスの王室の変遷と建築物

イギリスにある古い家は4つのタイプがあります。

一番古いのがチューダー朝（エリザベス朝）様式、その次がジョージ朝（ジョージアン）様式、次にアン女王様式、そして最後がヴィクトリア朝様式です。もっと細かく分けた様式もあるようですが大きくこの4つに分類されます。

チューダー朝様式：ブラック＆ホワイトハウス

チューダー朝様式はヘンリー8世やエリザベス1世の時代、16世紀くらいの建築様式で漆喰と黒い木の組み合わせでできています。日本だと安土桃山時代あたりです。

イギリスの小説の中に「ブラック＆ホワイトハウス」というのが出てくることがありますが、それがチューダー朝様式です。「黒と白の家」と訳すと意味がわからないですが、白い漆喰に黒い木材を組み合わせて作った家です。

ジョージ朝様式：四角ばった家

チューダー朝のあと、スチュアート朝がアン女王の死で途絶えたところで、ドイツの親戚を呼んで、跡を継いだのがジョージ1世です。ここからジョージ朝が始まります。日本では江戸時代の中期以降に相当します。

ジョージ朝になると四角ばった家が出てきます。ジョージ朝（ジョージアン）様式です。このお話の舞台となっているのがこの四角ばった家、ジョージ朝様式の家ですね。

ジョージ朝はけっこう長く続きます。

ドイツから来たジョージ1世は英語があまり話せなくて、国民には人気がなかったのですが、孫のジョージ3世になると完全にイギリスに溶け込みます。ちょっと変な王様だったようですが、国民的人気は高かったようです。この時代、アメリカは独立するわ、ナポレオン戦争は始まるわで、心労が絶えなかったようで晩年は精神疾患で幽閉生活を送っていますが80歳まで長生きします。王としての在位期間が当時は最長不倒で一番長かった。その後、息子のジョージ4世とウィリアム4世が王位を継ぎます。

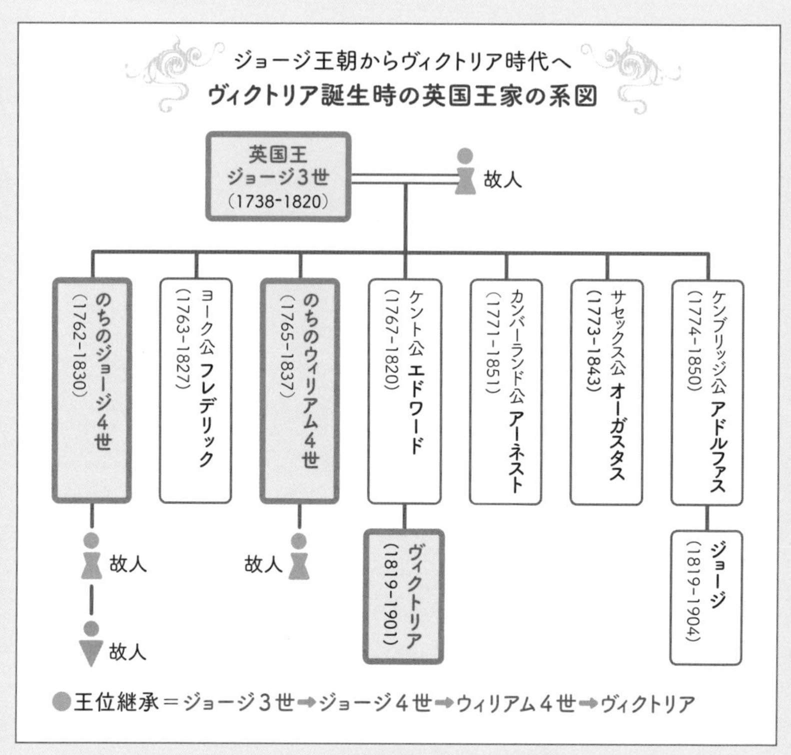

この作品の舞台となっている**ヴィクトリア朝時代の人のイメージだとジョージ3世のイメージはお爺さん。息子たちも60歳を過ぎてから王になったので、やはりお爺さんのイメージ**があります。

なおジョージ４世もウィリアム４世も王妃との間には後継者にふさわしい子供がいなかったので、再び後継ぎ問題が起こります。愛人とのあいだの子供はいましたが、基本的に王位継承はできません。困っていたところに、ジョージ3世の4男で借金を作ってヨーロッパにいたエドワード・オーガスタスのところに正式な結婚による娘が一人生まれた。ということでその娘を王位継承者とします。後のヴィクトリア女王です。

ウィリアム4世は王子のあいだはまったく人気がなかったのですが、王になると自分がショートリリーフであることを自覚し「私の務めはヴィクトリアが成人するまで王位に就くことだ」といって、拍手を浴びました。そして言葉どおり、ヴィクトリアが成人するのを待って亡くなっています。

アン女王様式：かわいらしい家

というわけで1837年、ヴィクトリアがいきなり王位についたわけです。

これは当時のイギリス人にとっては、曇天のあとに晴天の日が訪れたような出来事でした。それまで王様といえば、お爺さんばっかり3代続いたあとに18歳の女の子が女王になるわけですから。

当時、社会の雰囲気はかなり変わったと想像されます。そんな気分が続いていたからか、中期にはアン女王様式と呼ばれる、イギリス人好みの伝統様式を取り入れた装飾の多い家が建てられるようになりました。

それまでの四角いジョージ朝様式と違う、"かわいい"家です。

つまり、ヴィクトリア朝にはいくつかの様式の建築が混在していて、単に「古い家」といっても白と黒の家、四角い家、かわいらしい家と、何種類かあったわけですね。

どれにも属さないのは、modernな家、と呼ばれていました。今でいう「モダンな家」ではないんですね。たとえば、ジョージ朝末期のジェイン・オースティ

ンの『高慢と偏見（*Pride and Prejudice*）』（1813年）には、

It was a handsome modern building, well situated on rising ground.

という一文が出てきますが、「ジョージ朝の様式ではない高台にある壮麗な建物」といった意味です。

ヴィクトリア朝様式：四角い家＋とがった屋根

なおヴィクトリア女王は長生きしたので、その後、ジョージ朝様式に戻ったような建物が建てられるようになりました。いわゆるヴィクトリア朝様式です。基本は四角い家ですが屋根が尖っていたりします。

新旧の建造物が共存するロンドン

ロンドン中心部に行くと、今も古いタイプの建造物が残っています。地区によっては歴史的建物の保存が法律で義務づけられていて、内部はハイテクな作りになっていても、外見はそのままになっている建物がたくさんあります。

下の写真を見るとよくわかります。

手前には今でも使われている歴史的建造物があり、背景には再開発された今の街並みがそびえています。右手にあるのは16世紀からある王立取引所（Royal Exchange：火災消失などにより、現在の建物は19世紀に建てられた3代目）ですが、今でも使われていて、中には高級レストランとブランドショップが入っています。

【実践翻訳ゼミナール❷】

以下の英文を、色文字（語彙・表現）、下線（翻訳テク／注意！）、網のかかった箇所（翻訳指南）に留意しながら訳してみましょう。

❷ "My dears,"she said, "I wish to see all of you bright and gay in my house. I am an old woman, so that I cannot romp with you; but Ann must look to you, and Mrs. Fenn too. And every morning and every evening you must all come in to see your granny; and bring me smiling faces, that call back to my mind my own son Harry. But all the rest of the day, when school is done, you shall do just as you please, my dears. And there is only one thing, just one, I would have you remember. In the large spare bedroom that looks out on the slate roof there stands in the corner an old oak chest; aye, older than I, my dears, a great deal older; older than my grandmother. Play anywhere else in the house, but not there." She spoke kindly to them all, smiling at them; but she was very aged, and her eyes seemed to see nothing of this world.

And the seven children, though at first they were gloomy and strange, soon began to be happy and at home in the great house. There was much to interest and to amuse them there; all was new to them. Twice every day, morning and evening, they came in to see their grandmother, who every day seemed more feeble; and she spoke pleasantly to them of her mother, and her childhood, but never forgetting to visit her store of sugar-plums. And so the weeks passed by.

❷ 翻訳スタート！

無理に"老人言葉"で訳す必要はない

翻訳テク

My dears,：これはお年寄りがよく使う言葉です。「いいかい、お前たち」といったところでしょうか。この物語ではおばあさんのセリフが何度も登場します。ときどき、老人らしい言葉を使っています。しかし、だからといって、

【宮脇訳】

「いいかい、おまえたち」と、おばあさんはいいました。「みんなこの家で明るく楽しく過ごしておくれ。私はもう年寄りだから、おまえたちと一緒に飛んだり跳ねたりはできないが、アンがきっと面倒を見てくれるだろうし、ミセス・フェンだっている。それから、毎日、朝と晩には、必ず、この、おまえたちのおばあちゃんに会いにきて、笑顔を見せておくれ。みんなの顔を見ていると、私の息子のハリーのことを思い出すから。でも、ほかのときには、学校から帰ってきたら、なんでも好きなことをしてちょうだい。それから、あと一つ、一つだけ、覚えていてもらいたいことがある。石板瓦の屋根が外に見える、誰も使っていないあの広い寝室、あそこの隅に、樫でできた古い櫃（ひつ）がある。私が生まれるずっと前から、いや、私のおばあちゃんが生まれるずっと前からあるような、ほんとに古いものなんだ。家のどこで遊んでもいいけれど、あそこだけはいけないよ」おばあさんは子供たちみんなに優しく語りかけ、笑顔を見せましたが、とても年をとっていたので、その目はこの世のものなど何も見ていないようでした。

そんなわけで、7人の子供は、最初のうちこそ鬱（ふさ）ぎ込み、家に馴染めなかったものの、すぐにその大きなお屋敷での暮らしが気に入って、気おくれすることなく過ごすようになりました。身のまわりには面白そうなもの、楽しそうなものがたくさんあり、どれも目新しいものばかりでした。1日に2度、朝と晩にはおばあさんに会いにいき、おばあさんは日に日に弱っていくようでしたが、それでも楽しそうに、おばあさんのお母さんの話や、自分の子供の頃の話をみんなに語って聞かせ、いつもの置き場所から丸い砂糖菓子を取ってくるのも忘れませんでした。こうして何週間かが過ぎていきました。

「わたしゃねえ」といった感じで無理やりすべてを老人言葉にしなくてもよいと思います。老人が登場すると過剰なまでに「お年寄りの言葉」に訳そうとする人もいますが、そんなふうに話す老人はほとんどいません。**お年寄りであることがなんとなくわかる程度で**抑えておきましょう。

語彙・表現

bright and gay：明るく楽しく
romp：とんだり跳ねたりする

翻訳テク Ann must look to you, and Mrs. Fenn too.：「アンがきっと面倒を見てくれる。ミセス・フェンもね」。アンは一番年上の女の子だというのが、ここで示されていると推測します。ミセス・フェンは多分通いの家政婦の女性でしょう。

子供たちの父親の名前が明らかに

情報を集めながら相関図を作ってみよう

that call back to my mind my own son Harry：少しだけ状況が明らかになります。thatは直前に出てくる顔（smiling faces）のこと。「子供たちの顔を見ると息子のハリーのことを思い出す」といっています。おばあさんの息子、つまり子供たちのお父さんの名前がハリーであることがわかります。愛称がハリー、正式名称はヘンリーですね。さて、子供の中にヘンリーという男の子がいました。名前のつけ方の規則としては、長男にお父さんの名前をつけます。だから男の子の中ではヘンリーが一番年上だと考えられます。

おばあさんの会話でほのめかされているのは、**女の子の中ではアンが一番年上、男の子の中ではヘンリーが一番年上**ということです。

翻訳テク When school is done：「学校から帰ってきたら」としました。家で学んでいる場合なら「勉強が終わったら」かもしれませんが、もう学校に通っている年頃なのではないかと判断しました。

昔話のお決まりの設定が登場

翻訳テク And there is only one thing, just one, I would have you remember.：「それから、あと一つだけ覚えていてもらいたいことがある」が訳。つまり「何をしてもいいが、これだけはしてはいけない」という昔話らしい設定が出てきます。「開かずの間」や「●●にだけは近づいてはいけない」といった昔話は世界中にあります。そうした**昔話的な雰囲気で進めていくという意味合い**を持たせていると思います。

翻訳テク spare bedroom：何かのときに使うためにとってある寝室。お客さんが来たときなどに使う寝室のことです。「予備の寝室」と訳してもいいですが、ここでは**「誰も使っていない」という感じがいい**のではないかと思いました。

翻訳テク slate roof：スレートの屋根。昔っぽい雰囲気にするなら「石板瓦」という明治時代のいい方で訳せます。

誰も使っていない寝室はどこにある？

建築様式を調べて情景をイメージしよう

In the large spare bedroom that looks out on the slate roof：「石板瓦の屋根を見渡すことができる、誰も使っていない広い寝室」があって、その寝室にはおばあさんが触ってはいけないといった古い櫃（ひつ）があるということが読んでいくとわかります。

実は作者が想定する**読解力の高い読者ならここまでの描写で、子供たちと祖母が暮らす家を思い浮かべることができているはず**です。

古いジョージ朝様式の家であることは最初に書かれていました。四角い家です。

おばあさんがいつも座っているbow window（張り出し窓）もあります。そして「窓から屋根が見える部屋」はこの、最上階の屋根裏のような部屋です。子供たちの寝室は多分、二階の部分でしょう。二階の部分からは屋根は見えません。

翻訳テク

an old oak chest：**「古い樫製のチェスト」がこの小説では重要な存在**となります。チェストとは大きな収納箱という意味ですが、日本では昔から櫃といっていました。江戸時代から使われている収納箱を櫃といって、鎧（よろい）を入れておく場合は鎧櫃というそうです。櫃という漢字もとても四角い感じで、この小説に合っています。おばあさんが生まれる前、おばあさんのおばあさんが生まれる前からある古いものだと語られている、謎めいた櫃です。

謎めいた祖母の描写に注目

翻訳テク

her eyes seemed to see nothing of this world：これはとても不

思議な文です。「その目はこの世のものを見ていないようだった」とあります。**このおばあさんはいったい何者なのか?と疑問をかき立てられるところ**です。すごく年をとっている。しかも孫たちの名前を聞いているので、これまで孫たちとあまり会ったことがなかったと推察されます。このおばあさんの存在は小説の謎の一つであり、読者の解釈に任されています。

意味の幅が広い形容詞strangeの意味を探る

翻訳テク

though at first they were gloomy and strange：strangeの意味が取りにくいところです。奇妙な、変わった、見知らぬ、未知の、などstrangeの意味は広く、なにが当てはまるかわかりにくい。ただ“gloomy and strange”と**形容詞を二つ並べている場合は、同じような範疇の意味を二つなげているのではないか**と考えられます。gloomyの意味は「気分がすぐれない」ですので、strangeも同じ傾向の言葉と考えると「なじみがない」が近いのではないかと考え、「最初のうちこそ鬱(ふさ)ぎ込み、家になじめなかったものの」と訳しました。

翻訳テク

at home：普通は「気楽に、くつろいで」の意味ですが、物語の雰囲気からそれよりも少し引いた感じで「気おくれすることなく」と訳してみました。

翻訳テク

in the great house：greatは「偉大な」と訳す人が多いですが、ここでは物理的に「大きい」という意味。bigと同じ意味です。「大きな家」ということです。

長い文は小さく区切って、順番に訳す

翻訳テク

Twice every day, ～never forgetting to visit her store of sugar-plums.：子供たちが1日に2度おばあさんに会いに行く様子が描かれている長い文です。ここは定石通り、上から順番に以下のように小さく区切って訳していきます。
Twice every day, morning and evening, / they came in to see their grandmother, / who every day seemed more feeble;/ and she spoke pleasantly to them of her mother, and her childhood, / but never forgetting to visit her store of sugar-plums.

翻訳テク

never forgetting to visit her store of sugar-plums：ここは「**置き場所から取ってきて**シュガー・プラムを渡すのを忘れなかった」→「いつもシュガープラムというお菓子を**置き場所から取ってきて**渡してくれた」という

ことですね。シュガー・プラムは丸い形の砂糖菓子です。**丸いイメージはこの物語の中ではいいイメージで使われています**。訳すときも**丸いという言葉を入れておいたほうがイメージ的には伝わる**し、統一がとれると思います。

まとめ **おばあさんの家での暮らしに子供たちがなじんでいく様子が描かれていきます。何をしてもいいけれど、一つだけ禁止されたのは「誰も使っていない寝室にある古い櫃に近づくこと」。昔話や童話のお決まりのような展開となります。**

「シンボル・ハンティング」は翻訳に役立つアプローチ

今回の作品では文学研究の手法の一つ「シンボル・ハンティング」をしてみることを提案しました。作品の中で象徴的に扱われているものを探して、それが作品の中でどんな意味を持っているのかを考察したり、シンボルから作品の構造を見ていったりします。

かつては文学評論家がよくやっていました。今やシンボル・ハンティングは古い手法になっています。「いまだにシンボル・ハンティングやってるのか、ださいよ」といわれたりします。

ただし、翻訳の手がかりや足がかりにするには、とても有効な考え方です。描写されるものの「形」に着目して言葉を選べば、日本語でもおのずとイメージの統一が図れます。

“The Riddle”には印象的な形、シンボルが、繰り返し登場しています。丸いものと四角と棒状のものです。たとえば家は四角く、眼鏡は丸く、張り出し窓は丸く、家の近くに一本はえる木は棒状です。おばあさんが孫にあげたシュガー・プラムは丸い形の砂糖菓子で、裁縫箱は四角く、中には棒状の針が入っています。そして謎の櫃は四角いものです。このように物語の中では丸、四角、棒のイメージが繰り返し登場しています。

こうした繰り返し登場するイメージにどのような意味があるのか？ 作者は何も語っていません。しかし**シンボルにどんな意味があるのかを、いろいろ仮定、推測しながら読むことで、違った視点から読むこともでき、読解が深まっていきます。**

【実践翻訳ゼミナール❸】

以下の英文を、色文字（語彙・表現）、下線（翻訳テク／注意！）、網のかかった箇所（翻訳指南）に留意しながら訳してみましょう。

❸ It was evening twilight when Henry went upstairs from the nursery by himself to look at the oak chest. He pressed his fingers into the carved fruit and flowers, and spoke to the dark-smiling heads at the corners; and then, with a glance over his shoulder, he opened the lid and looked in. But the chest concealed no treasure, neither gold nor baubles, nor was there anything to alarm the eye. The chest was empty, except that it was lined with silk of old-rose, seeming darker in the dusk, and smelling sweet of pot-pourri. And while Henry was looking in, he heard the softened laughter and the clinking of the cups downstairs in the nursery; and out at the window he saw the day darkening. These things brought strangely to his memory his mother who in her glimmering white dress used to read to him in the dusk; and he climbed into the chest; and the lid closed gently down over him.

When the other six children were tired with their playing, they filed into their grandmother's room as usual for her good-night and her sugar-plums. She looked out between the candles at them as if she were unsure of something in her thoughts. The next day Ann told her grandmother that Henry was not anywhere to be found.

"Dearie me, child. Then he must be gone away for a time," said the old lady. She paused. "But remember all of you, do not meddle with the oak chest."

【宮脇訳】

ある日のたそがれどきのことです。ヘンリーは子供部屋を出ると、一人で上に上がって、あの樫の櫃を見にいきました。櫃に彫られた果物や花を指で強くなぞり、四隅にある、気味の悪い笑みを浮かべた顔に話しかけたあと、ヘンリーは肩越しにちらりとうしろを振り返り、蓋を開けてのぞき込みました。でも、櫃の中には宝物は一つもありませんでした。黄金が入っているわけではなかったし、子供だましの金ぴかの装身具が入っているわけでもなく、目を驚かせるようなものは何ひとつなかったのです。中は空っぽでした。ただ、内側には濃い薔薇色の絹が張られ、夕暮れの中でその絹の色はいっそう暗く見えて、鼻の先に甘いポプリの匂いを感じました。ヘンリーが櫃をのぞき込んでいるあいだ、下の子供部屋からは、ひっそり静まった笑い声や、カップの触れ合う音が聞こえていました。窓の外を見ると、そこには暮れ方の空が広がっています。そういったものに心を動かされ、不思議なことにヘンリーが思い出したのは、いつも夕暮れどきに本を読んでくれたお母さんの、うっすらと輝く白いドレスをまとった姿でした。こうしてヘンリーは、櫃の縁を乗り越え、中に入りました。すると、静かに蓋が閉まっていきました。

ほかの6人の子供は、遊びに飽きると、いつもと同じく縦に列を組んでおばあさんの部屋に入り、おやすみのあいさつをして、砂糖菓子をもらいました。おばあさんはキャンドルのあいだから子供たちを見ながら、何か忘れ物をしたような顔をしていました。その次の日、アンは、ヘンリーがどこにも見当たらない、とおばあさんにいいました。

「おやまあ。それだったら、しばらくのあいだ、あの子は遠くへ行ってしまったに違いない」老婦人はそういって、一瞬、口をつぐみました。「でもね、みんな憶えていてちょうだい。あの樫の櫃には、絶対に近づいてはいけないよ」

❸ 翻訳スタート！

twilightは朝と晩にある

翻訳テク

evening twilight：太陽の光がぼんやりと照らしている状態をtwilightといい、英語では朝と晩の2回あります。日本だとたそがれどきだけを指す言葉になっています。ここでは夕方のtwilightであることを示すためにeveningがついています。日本語では「たそがれどき」でいいでしょう。

語彙・表現

upstairs：upstairsは「2階」と訳してしまう人もいますが、これは「すぐ上の階」という意味です。went upstairs で上の階に上がっていったことになります。子供部屋の上の階ですね。

nursery：子供部屋

pressはtouchよりも強い力で触れる

翻訳テク

pressed his fingers：touchedではなくてpressedといっています。触るというよりももっと強い力が加わります。その感じを出して訳すと副詞を補って「指で強くなぞり」となります。

語彙・表現

the carved fruit and flowers：櫃には飾り彫りがされています。多分バナナやパイナップルや花の模様が彫られているようです。

dark-smilingはどんな笑みか？

翻訳テク

the dark-smiling heads：櫃の四隅に首から上の飾りのようなものがついているのだと思いますが、dark-smilingをどう訳すかは意見が分かれるところです。私は「気味の悪い笑顔」と解釈しました。明るい笑顔でなく暗い笑顔。不気味なという解釈もできます。「わけがわからない謎めいた微笑み」という訳し方もできます。

語彙・表現

at the corners：四隅に

翻訳テク

with a glance over his shoulder：直訳すると「肩越しに一瞥して」ですが、要するに「後ろを振り返る」ということです。人がいないかどうか確かめたところです。

動詞は順番に訳す

翻訳テク

he opened the lid and looked in：動詞の順番に訳しましょう。まずopenして、次にlookしたという順番に訳せばいいです。「蓋を開けて、中をのぞき込んだ」ですね。

翻訳テク

neither gold nor baubles：「何もなかった」という慣用的な常套句だと思いますが、作者の意図があるかもしれないので、「黄金が入っていたわけでもないし、子供だましの装身具が入っていたわけでもない」と比喩表現を丁寧に訳してみました。

語彙・表現

anything to alarm the eye：目を驚かせるようなもの
lined：「裏打ちされる」という感じです。
old-rose：辞書で調べると「色の名前」「濃いバラ色」などとあります。バラは時間がたつとだんだん色が濃くなって赤黒くなっていくため、赤黒い色のことを指すようです。
seeming darker：もともと赤黒い色なのですが、夕暮れ時でもっと黒く見えたということです。
the softened laughter：静まった笑い声
the clinking of the cups：カップの触れ合うカチンという音
downstairs in the nursery：「下の子供部屋で」。downstairsを「1階」と訳してしまう人がいますが「下の階」という意味です。

無生物主語の文を自然に訳す

翻訳テク

These things brought strangely to his memory his mother：英語の無生物主語を使っています。直訳すると「こうした事柄が、不思議なことに彼の記憶に母親を運んできた」と書いてあります。訳す際にはヘンリーを主体にして「そういったものに心を動かされて、不思議なことにヘンリーは～」といった感じにしました。お母さんのことを思い出したんですね。一番上の男の子ですから、お母さんと過ごした時間も長かったのでしょう。

語彙・表現

glimmering white dress：うっすらと輝く白いドレス
climbed into the chest：「櫃のふちを乗り越えるようにして中に入った」感じです。

filed intoを正確に訳そう

翻訳テク

they filed into their grandmother's room as usual：6人の子供たちがいつもと同じようにおばあさんの部屋に入っていったところですが、went intoではなく、filed intoとなっています。fileは一列縦隊なので、そのように丁寧に訳しましょう。「いつもと同じく縦に列を組んでおばあさんの部屋に入っていき」となります。

英語だと動詞を一つ変えるだけですみますが、日本語で表現するときは言葉を補わないとならないところです。

as ifでつながる文も前から順番に訳す

翻訳テク

She looked out ～ at them as if she were unsure of something in her thoughts.：as if 以降は訳し方が難しいところです。そこだけ直訳すると「まるで思考の中で何か不確かな感じがしているかのように」と書いてます。もう少しわかりやすく「何か忘れ物をしたような顔をしていました」と訳しました。

注意!

ここはas ifで文がつながっていますが、こういう場合に「まるで忘れ物をしたような顔で子供たちを見ました」と下から上に訳す人が多いようです。しかし訳すときは物事の順番を守りましょう。まず子供たちを見て、次に何か忘れ物をしたような顔をしたということですので、その順番で訳してください。

語彙・表現

Dearie me,：英語の典型的な「おばあさん言葉」です。若い子はこういう話し方はしません。「おやまあ」くらいに訳すとよいでしょう。Dear me,も同じです。

be gone away：遠くへ行く

for a time：しばらくの間

old ladyとgrandmotherは訳し分ける

翻訳テク

the old lady：一番上の女の子アンからヘンリーがいないという報告を受け、おばあさんが話しますが、grandmotherではなくold ladyがいったとなっています。これも何かの意図があるはずなので、「老婦人」と訳します。わかりやすくなるようにと「おばあちゃん」などと訳さないようにしてください。

翻訳テク

do not meddle with the oak chest：meddle withは「～に干渉す

る、ちょっかいを」出すという意味です。ここでは「樫の櫃には絶対に近づいてはいけない」というように訳しました。

まとめ

禁じられていた櫃に近づいたヘンリーが姿を消します。母親を懐かしむヘンリーの描写から子供たちが両親（あるいは母親）を失ってから日が浅いのではと推測されます。櫃についてはそれ以上に言及されず、ヘンリーがいなくなったことを聞いても祖母は淡々としています。さまざまな謎が謎のまま、物語が進んでいきます。

【実践翻訳ゼミナール❹】

以下の英文を、色文字（語彙・表現）、下線（翻訳テク／注意！）、網のかかった箇所（翻訳指南）に留意しながら訳してみましょう。

❹ But Matilda could not forget her brother Henry, finding no pleasure in playing without him. So she would loiter in the house thinking where he might be. And she carried her wood doll in her bare arms, singing under her breath all she could make up about him. And when in a bright morning she peeped in on the chest, so sweet-scented and secret it seemed that she took her doll with her into it—just as Henry himself had done.

So Ann, and James, and William, Harriet and Dorothea were left at home to play together. "Some day maybe they will come back to you, my dears," said their grandmother, "or maybe you will go to them. Heed my warning as best you may."

Now Harriet and William were friends together, pretending to be sweethearts; while James and Dorothea liked wild games of hunting, and fishing, and battles.

On a silent afternoon in October Harriet and William were talking softly together, looking out over the slate roof at the green fields, and they heard the squeak and frisking of a mouse behind them in the room. They went together and searched for the small, dark hole from whence it had come out. But finding no hole, they began to finger the carving of the chest, and to give names to the dark-smiling heads, just as Henry had done. "I know! Let's pretend you are Sleeping Beauty, Harriet," said William, "and I'll be the Prince that squeezes through the thorns and comes in." Harriet looked gently and strangely at her brother; but she got into the box and lay down, pretending to be fast asleep; and on tiptoe William leaned over, and seeing how big was the chest he stepped in to kiss the Sleeping Beauty and to wake her from her quiet sleep. Slowly the carved lid turned on its noiseless hinges. And only the clatter of James and Dorothea came in sometimes to recall Ann from her book.

【宮脇訳】

けれども、マチルダは兄弟のヘンリーのことを忘れられずにいました。ヘンリーがいないと、どんな遊びをしてもちっとも面白くなかったのです。こうしてマチルダは、家の中をあてもなく歩きながら、ヘンリーはどこにいるのだろう、と考えていました。袖なしの服を着た腕に木の人形を抱き、その人形のことをでたらめな歌にして、小さな声で口ずさんだりもしました。そして、よく晴れたある朝のこと、あの櫃をのぞき込むと、甘い香りが漂い、とても秘密めいて見えたので、人形を連れたまま、マチルダは中に入りました――ちょうどヘンリーがしたように。

こうして、アン、ジェイムズ、ウィリアム、ハリエットとドロシーアはあとに残され、一緒に遊びました。「もしかしたら、いつか、二人はおまえたちのところに戻ってくるかもしれないよ」と、おばあさんはいいました。「それとも、おまえたちのほうが、二人のところに行くんだろうか。くれぐれも私のいいつけを守りなさい」

今ではハリエットとウィリアムは仲よしになり、恋人ごっこをして遊んでいました。その一方で、ジェイムズとドロシーアは、狩りや、魚とりや、戦争ごっこといった、荒っぽい遊びが好きでした。

人の声がいっさい聞こえてこない十月のある日の午後、ハリエットとウィリアムは静かに語り合いながら、石板瓦の屋根の向こうに広がる緑の野原を見ていました。そのとき、部屋のうしろのほうから、ネズミのきーきー鳴く声や、ひそひそ走り回る音が聞こえてきました。二人は一緒になって、ネズミが出てきた小さな暗い穴を探しはじめました。しかし、穴は一つも見つからなかったので、今度は櫃の彫刻を指の先でなぞりながら、気味の悪い笑みを浮かべた顔に名前をつけていました。あのとき、ヘンリーもそうしたのでした。「そうだ、いいこと思いついた！　ハリエット、きみは眠り姫になるんだ」と、ウィリアムはいいました。「ぼくは王子になって、茨をかき分けて進んでいこう」ハリエットは、優しい、不思議な表情をして、兄弟を見ていましたが、やがて櫃に入り、横たわって、ぐっすり眠っているふりをしました。そして、ウィリアムは爪先立って中をのぞき、櫃がとても大きいことを見て取ると、眠り姫にキスをしてその静かな眠りから目覚めさせようと、縁をまたいだのです。彫刻のある蓋が、蝶番の音も立てず、ゆっくり閉じていきました。そして、ジェイムズとドロシーアの騒ぐ物音だけが、ときおり部屋に届いて、読んでいる本からアンを現実に引き戻しました。

④ 翻訳スタート！

翻訳テク

her brother Henry：ヘンリーがマチルダより年上だと思いますが、もしかするとマチルダのほうが上かもしれないので、「兄弟のヘンリー」と訳しました。

語彙・表現

loiter：「当てもなく歩きながら」という感じです。

翻訳テク

her wood doll in her bare arms：木の人形を持っているところで、こういった幼さからマチルダがヘンリーの妹なのだろうと推測できます。

　bare arms は多分袖なしの服を着ているのでしょう。「むき出しの腕」とも訳せますが、腕まくりをしている感じにもなるので、「袖なしの服を着た腕に木の人形を抱いて」と訳しました。

“彼”は人形のことだった　変だな？と思うときは間違ってる

singing under her breath all she could make up about him：これまでのつながりからするとabout him の him はヘンリーを指すと通常は思うところです。私も以前は、そう読んでいました。しかし実はこれは人形のことなんです。つまりsinging ～のところは人形についての歌を歌っている様子を表しているんです。即興で人形のことを歌にして歌っていたわけです。

　以前 him はヘンリーのことだと思っていたときも、お兄さんのことをでたらめな歌にして歌うというのはちょっと変だな、と思っていました。

　あるとき、インターネットで雑誌に発表された当時のこの作品を読む機会があり、そこに「about the doll」とあったので初めてわかりました。マチルダは人形遊びをしていたのでしょう。人形を抱っこして、人形の歌を勝手に作って歌っていたということになります。デラメアは雑誌掲載後に書き直して、単行本収録版ではわざわざ him と表現をあいまいにしたのです。

　「その人形のことをでたらめな歌にして、小さな声で口ずさんだりもしました」と訳しました。

語彙・表現

a bright morning：ある晴れた朝

翻訳テク

so sweet-scented and secret it seemed that：「甘い匂いがして秘密めいて見えたので」という感じでしょう。

子供たちの名前の表記の仕方が変化

翻訳テク

Ann, and James, and William, Harriet and Dorothea were left：ここまでヘンリーとマチルダの二人がいなくなったのであと5人残っています。

今度は組みになっているのはハリエットとドロシーアで、アンとジェイムズとウィリアムが単独組です。単独の人が増えています。最初は単独の人は一人だけだったんだけど、二人消えた段階で、単独の人が3人に増えて、組合わせは一組だけになった。**だんだんばらばらになっていくような感じの書き方**をしているようです。

語彙・表現

Heed my warning：heedは「忠告などを聞き入れる」。いいつけを守れというい方です。「くれぐれも私のいいつけを守りなさい」と訳しました。

翻訳テク

Harriet and William were friends together：ハリエットとウィリアムは兄妹なので「ハリエットとウィリアムは仲良しでした」と訳しました。

翻訳テク

pretending to be sweethearts：「恋人ごっこをして」でいいと思います。デラメアの童話には、ときどき近親相姦の匂いがする話が出てきます。

翻訳テク

while James and Dorothea liked wild games of hunting, and fishing, and battles：ここは前の文から続けて、「その一方でジェイムズとドロシーアは～」と訳します。ハリエットとウィリアムの二人が「恋人ごっこ」のような女の子っぽい遊びをしているのに対して、ジェイムズとドロシーアは狩りや、魚とりや戦争ごっこのような男の子っぽい遊びをしています。

silentは人の声がしない状態

silentとquietでは静かさの意味が違う

On a silent afternoon in October：10月のsilent afternoonとあります。このsilentという言葉には気をつけましょう。英語では静かな状態を表現する形容詞にquietとsilentがありますが、この二つの形容詞には違いがあります。**人の声がしていないのがsilentで、物音がしないのがquietなのです。**

小学生が騒いでいるのに対して、先生が「静かにしなさい」というときに、“Silence!”という場合と“Be quiet!”という場合があります。後者は「机をがたがた鳴らしたりして騒いでいるのをやめなさい」という意味なのに対して、“Silence!”“Silence everyone！”という場合は「おしゃべりをやめなさい」という意味になります。

昔の人は厳格にこの二つの言葉を区別して使っています。

quiet afternoonだと物音がしなくて静かな午後になります。silent afternoonだと人の声が聞こえない午後。この話ではsilentを使っているので「人の声がいっさい聞こえない10月のある午後」ということになります。

訳としては「静まり返った」でもいいんですが、**物音がしないのではなくて、人の声がしない状態であることを訳文に示す**ようにしましょう。

翻訳テク

風景描写でどこにいるかを表現

looking out over the slate roof at the green fields：ここはさらっと書いていますが、**石板瓦の屋根が見えるところにいるということで、二人がすでにあの部屋に入っていることを示して**います。「石板瓦の屋根の向こうに広がる、緑の野原を見ていました」と訳しました。

語彙・表現

squeak：人や動物のキーキーいう声
frisking：跳ね回ること
They went together：二人は一緒になって

翻訳指南

丸いイメージと四角いイメージ 物語に通底するイメージ

hole ... the chest：例の部屋の後ろのほうからネズミのキーキー泣く声とこそこそ走りまわる音が聞こえて、二人で一緒にネズミの出てきた穴を探します。この穴は丸いものだと思います。丸いイメージです。ここではネズミも丸い穴も見つからずに、四角い箱に入ってしまいます。結局、穴はない。実際にはなかった丸いものということになります。ではネズミの声はどこから聞こえてきたのかは明らかにはされていません。この物語全体で**丸いイメージは良いもの、四角いイメージは不吉なものにつながって**います。

語彙・表現

finger：「指でなぞる」。動詞として使います。

「悪口をいう」か「名付ける」か

訳語への繊細なこだわりがよい翻訳につながる

give names to the dark-smiling heads：**give names to ～ には二つの意味があります。一つは「名前をつける」。もう一つは「悪口をいう」**という意味です。namesとは実際の名前ではない名前（たとえば「間抜け」）で、それで呼ぶのが「悪口をいう」ということになるんですね。「私の悪口をいわないで」は“Don't call me names.”といいます。「私の名前をいわないで」ではないんですね。

ここでは不気味な笑みを浮かべる（あるいは謎めいた笑みを浮かべる）彫刻に「おまえは馬鹿だな」といった悪口をいっているのか、「お前は〇〇だ」と名づけているのかどちらかになります。両方ともあり得るので、迷いましたが、名前をつけるほうに考えて「気味の悪い笑みを浮かべた顔に名前をつけました」と訳しました。もしかすると四隅に並ぶ彫刻に悪口をいっていた可能性もあります。

ただ、ハリエットとウィリアムというのは**恋人ごっこのような優しい遊びをしているペアです。**だから「お前ばかだなあ」と悪口をいうよりは「君の名前はジェイムズだよ」と**かわいく名前をつけていたのではないかと考えました。**

語彙・表現

I know!：「わかった」「知っている」という意味ではなくて、「いいことを思いついた！」というときにいう言葉です。

翻訳テク

Let's pretend you are Sleeping Beauty, ... I'll be the Prince that squeezes through the thorns and comes in.：前半は「君は眠り姫ってことにしよう」という意味ですから「君は眠り姫になるんだ」にしました。つまり眠り姫ごっこをやろうということになります。後半は「僕は王子になって茨をかき分けて進んでいく」。眠り姫が百年眠っているところに王子が来てキスをするというおとぎ話で遊ぼうとしているところです。

語彙・表現

gently and strangely：優しく不思議な表情で

on tiptoe：「つま先立ちで」。ウィリアムはまだ小さいので、つま先立ちをしてないと中が見えないということでしょう。

stepped in：中に入った

翻訳テク

seeing how big was the chest he stepped in to kiss the

Sleeping Beauty：「中を見て櫃の大きさがわかったので、眠り姫にキスするために中に入った」という意味です。訳では「櫃がとても大きいことを見て取ると、眠り姫にキスをしてその静かな眠りから目覚めさせようと、縁をまたいだのです」としました。

語彙・表現

on its noiseless hinges：蝶番が音をたてずに
clatter：騒々しい声、音

あとの展開も踏まえて訳語を選ぶ

翻訳テク

And only the clatter of James and Dorothea came in sometimes to recall Ann from her book.：残った子供たちが全員出てきて、面白い表現になっています。ジェイムズとドロシーアは乱暴なほうの二人組です。騒いでいるわけですね。二人が騒ぐ音がアンを現実に引き戻しています。recall を「現実に引き戻しました」と訳しました。**後に、アンは夢の世界に行ってしまうので、ここでは呼応するように「現実に戻す」**といういい方をしたのではないかと考えました。

まとめ

ヘンリーがいなくなって寂しい思いをしていたまだ幼い女の子のマチルダ。人形を抱えて例のあの部屋に入り、櫃の中に入っていく様子が淡々と描写されていきます。やがて5人になった子供たちの人間関係に注意。アンと対照的な二つの仲良しペアに分かれます。ハリエットとウィリアムのペアが櫃のところで「眠り姫」ごっこを始めます。このあたりの濃密な雰囲気も丁寧に訳しましょう。

デラメアは1902年に童謡詩集『幼年の歌』を発表し、児童文学作家として世に出た
Songs of Childhood / Walter de la Mare 著 / ValdeBooks

デラメアの謎めいた話をまとめたものが少年少女向けの名作シリーズに収録されたこともある
なぞ物語／ウォルター・デラメア著／フレア刊

【実践翻訳ゼミナール❺】

以下の英文を、色文字(語彙・表現)、下線(翻訳テク/注意!)、網のかかった箇所(翻訳指南)に留意しながら訳してみましょう。

❺ But their old grandmother was very feeble, and her sight dim, and her hearing extremely difficult.

Snow was falling through the still air upon the roof; and Dorothea was a fish in the oak chest, and James stood over the hole in the ice, brandishing a walking-stick for a harpoon, pretending to be an Esquimaux. Dorothea's face was red, and her wild eyes sparkled through her tousled hair. And James had a crooked scratch upon his cheek. "You must struggle, Dorothea, and then I shall swim back and drag you out. Be quick now!" He shouted with laughter as he was drawn into the open chest. And the lid closed softly and gently down as before.

Ann, left to herself, was too old to care overmuch for sugar-plums, but she would go solitary to bid her grandmother good-night; and the old lady looked wistfully at her over her spectacles.

"Well, my dear," she said with trembling head; and she squeezed Ann's fingers between her own knuckled finger and thumb. "What lonely old people, we are, to be sure!" Ann kissed her grandmother's soft, loose cheek. She left the old lady sitting in her easy chair, her hands upon her knees, and her head turned sidelong towards her.

❺ 翻訳スタート!

おばあさんの衰えを表現

翻訳テク

their old grandmother was very feeble, and her sight dim, and her hearing extremely difficult:この話の中でおばあさんはどんどん弱っていきます。本当に生きているのか?という疑問もわきます。very feebleは「とても弱って」という意味で、sightがdimとは「目がとても悪くなった、見えなくなっていった」ということでよいでしょう。さらに耳はほとんど聞こえなくなっていて、子供たちが来てからほんの何か月かのあいだにどんどん老け込んでいっています。

【宮脇訳】

でも、その子たちのおばあさんはすっかり老け込み、目は悪くなり、耳はほとんど聞こえなくなっていました。

雪が降り、風がそよとも吹かぬ中で、屋根に落ちていました。ドロシーアは樫の櫃の中で魚になり、ジェイムズは氷の穴の前に立ちはだかり、銛になぞらえた杖を振りまわしながら、エスキモーになったつもりでいました。ドロシーアの顔は赤らみ、乱れた髪のあいだから、目がぎらぎら光っていました。ジェイムズの頬には歪んだ引っ掻き傷が一つありました。「暴れなきゃ駄目だよ、ドロシーア。そうしたら、ぼくが泳いでいって、陸に引き上げよう。さあ、早く!」ジェイムズは大声で笑いながら、開いた櫃の中に引き込まれていきました。すると、これまでと同じように、蓋はゆっくり、静かに閉じたのでした。

アンは取り残され、もう幼くはなかったので、砂糖菓子はそんなに欲しくありませんでしたが、一人でおばあさんのところに行き、おやすみのあいさつをしていました。老婦人は、物思いに沈むように、眼鏡の向こうからアンを見ました。

「ねえ、おまえ」首を揺すりながらそういうと、おばあさんは、節くれだった自分の人差し指と親指とで、アンの指を強くつかみました。「私たちは、本当に、なんて淋しい年寄りなんだろう!」アンは、おばあさんの、柔らかい、たるんだ頬にキスをしました。アンが去るとき、老婦人は安楽椅子に座ったまま、両手を膝の上にそろえ、顔を横に向けて、アンを見ていました。

語彙・表現

still air：風が吹かない状態

コンパクトな英語表現を翻訳にも生かす

翻訳テク

Snow was falling through the still air upon the roof：おばあさんの説明のあとは、いきなり時間が流れて、雪が降っています。前段❹の10月から季節が移っています。

この文では雪が降っていて、風が吹いておらず、雪が屋根に落ちているという**3つのことを一つのセンテンスでコンパクトに表現しています。その感じを出すために日本語訳でも一つの文で表現**したいところです。「雪が降り、風がそよと吹かぬ中で屋根に落ちていました」と訳しました。

翻訳テク

Dorothea was a fish in the oak chest, and James stood over the hole in the ice：ドロシーアは例の櫃の中で魚になり、ジェイムズは氷の穴の前に立ちはだかっています。これは「ごっこ遊び」をしているところでしょう。氷に穴をあけているというのでワカサギ釣りみたいな遊びですね。櫃が四角いもの、氷の穴が丸いもの、銛が尖った棒のイメージです。

語彙・表現

brandishing：振り回して

a walking-stick for a harpoon：銛（もり）になぞらえた杖

an Esquimaux：「エスキモー」。ちなみにスペルが間違っています。フランス語の複数形になっています。後にデラメアが手を入れた版ではちゃんとEsquimauになっています。

性的なイメージが強い描写

翻訳テク

Dorothea's face was red, and her wild eyes sparkled through her tousled hair.：ジェイムズがエスキモーに扮して、ドロシーアが扮する魚を獲ろうとしている。二人が乱暴で活発な遊びをしているということで、ドロシーアの顔は赤くなっていて、wild eyesは目がぎらぎらと光っているような様子です。男の子が尖ったものを持っていて、女の子は顔が紅潮している。ここも性的なイメージが強い描写になっています。

翻訳テク

crooked scratch：「ゆがんだひっかき傷」。わざとではなくひとりでにできてしまったものだと思いますが、これもけっこう性的な匂いのする描写をわざとしていると思われます。

翻訳テク

You must struggle：struggleは「もがく」「格闘する」ですが、ここでは「暴れる」という感じでYou must struggleは「暴れなきゃダメだ」と訳せます。

翻訳テク

drag you out：「外に出す」という意味ですが、ここでは魚を獲っている状況になっているので、「陸（おか）に引き上げよう」と訳すといいでしょう。

櫃に引き込まれていく表現に注目

翻訳テク

he was drawn into the open chest：**ここは受け身で書かれていることに注目**してください。ほかの子供は中に入っていきましたが、ここは引き込まれています。そのまま「開いた櫃の中に引き込まれていきました」と訳しました。

語彙・表現

left to herself：彼女だけ取り残されて
overmuch：過剰に、過大に

語り手の視点に注目

翻訳テク

the old lady looked wistfully at her over her spectacles：その前の文では「おばあさん」と表現していたのですが、またold ladyとなっていますので「老婦人」と訳します。wistfullyというのはなかなか日本語にうまく訳せない言葉ですが、この場合は「物思いに沈んで」でいいと思います。「老婦人は、物思いに沈むように、眼鏡の向こうからアンを見ました」と訳しました。

ここで**主語を老婦人としているのは、第三者の目、語り手が見ている**ということになります。おばあさんと書いていれば、アンの目から見ていることになりますが、子供の視点からだと物思いに沈んでいる表情はわからないかもしれません。語り手の視点にすることでこういう表現が成立すると考えられます。

語彙・表現

Well, my dear,：これも老人の言葉です。「ねえ、おまえ」といった訳でよいでしょう。
with trembling head：「首を揺すりながら、揺れる頭で」。ここはもうろくしている様子を表現したのかもしれません。

翻訳指南

なぜアンのことを年寄りだといったのか？ さまざまな解釈が可能

"What lonely old people, we are, to be sure!"：アンに対して「お前も私も年寄りだね」というのはなぜなのか？　それともボケていることを示しているのでしょうか。ここも謎です。

weは目の前の孫と自分を指しているのか、それともおばあさんの仲間、年寄り仲間のことをいっているのか。ぼけてしまって、孫なのに茶飲み友達だと思っているという説もあります。

読む側はいろいろな解釈をしてみてよいのですが、**訳す側は単純に「私たちは」と訳せばいいところです。何の解釈もしないで訳すべきです。**「私たちは本当になんて寂しい年寄りなんだろう」。

なお、この文についてはある解釈を読んだことがあります。

本作品が書かれたのはヴィクトリア朝末期で文明がいきつくところまでいきついて、社会が爛熟していました。つまり「年寄り」とは人類のことをいっているという説です。人類はもうそんなに若くないのだと。「我々人間はすっかり年をとってしまった」と解釈する説です。

語彙・表現　soft, loose cheek：やわらかいたるんだ頬

翻訳テク　She left the old lady sitting in her easy chair, her hands upon her knees：ここはアンと老婦人の二つの主語があります。「アンが去るとき老婦人は安楽椅子に座ったまま、両手を膝の上にそろえて〜」とつなげていきます。

語彙・表現　sidelong：横の

headは頭ではなく顔の場合もある

翻訳テク　her head turned sidelong towards her：このheadは「顔」です。身体は正面を向けているけれど顔だけ横を向けてアンが出ていくのを見ていた感じです。アンがいなくなることもわかっていて、名残り惜しそうに見ていたのかもしれません。

まとめ
活発な遊びを好むペアのジェームズとドロシーアも例の寝室で遊んでいます。櫃の中で魚に扮したドロシーアをジェームズがつかまえようとして櫃の中に引き込まれていきます。自ら入っていったのではなく引き込まれた点に注意して訳しましょう。こうしてついに7人の子供たちのうちアンだけが残されたという状況にも祖母は淡々としています。「私たちはなんて年寄りなんだろう」という祖母の言葉の意味は？不気味さと共に謎は深まっていきます。

子供心に強烈な印象を受けた作品

“The Riddle”は日本では子供の頃に読んだという人が多いようです（私もそうでした）。昔、児童向けの世界の文学全集が創元社から出版されていました。ドイツ編、イギリス編、アメリカ編、日本編などいろいろな国ごとに童話をまとめて、何十巻もあるもので、多分図書館向けの本だったのではないかと思います。それが小学校の図書館にあったようで、私と同じような年頃の翻訳家と話していると、昔読んだという人が何人もいます。

この児童向け世界文学全集のイギリス編に「なぞ」が入っていて、強烈な印象を持つ子供が多かったようです。私も「作者名は覚えていないけれど、**昔読**

んだあのへんな不思議な話は何だったんだろう」とずっと気になっていました。

あるときデラメアという作家のことを知って、おや?と思って読んだら「あ、これだ!」と見つけることができました。

読み返してみると、別の世界につながっているような話ですよね。**現実の世界とぴったりとくっつくように別の世界があって**という。そういう不気味さがあります。

日本家屋にも「開かずの間」みたいなところがあったりします。仏壇の横に古いタンスがあって、ちょっと気味が悪かったり。**日本人にはわかりやすい怖さ、気味悪さがあると思います。**

『ハウス』
監督:大林信彦/
1977年(Blu-ray販売:東宝)

大林宣彦監督の『ハウス』の原作は“The Riddle”だった

なお、これは大林宣彦作品の『ハウス』の原作でもあります。少なくとも意識していたことは脚本家が語っています。

田舎の古い家に南田洋子さん演じる伯母さんがいて、そこに池上季実子さんが演じる姪の女子大生が友人たちを連れて遊びにいくという設定でした。

「家」が女子大生たちを食べてしまう。そして女子大生たちが消えるたびに伯母さんが若返っていくという、ある意味わかりやすい作りになっていました。

原作では孫たちが消えても、おばあさんは若返らず、どんどん弱っていっています。おばあさんは何かを知っているのか? 何を考えているのか? ボケているだけなのか? 知っていてとぼけているのか? そもそも人なのか?

読了後にもいろいろな疑問が出てきます。

デラメア自身の考えは?

この作品については世界中の読者が疑問を感じているようです。デラメアは亡くなるまで、いろいろな人から「“The Riddle”の答えは何か」「どんな意味があるのか」と聞かれていたようです。しかし沈黙し、何もいわなかった。好きなように解釈しなさいということでしょう。

ただ一度だけ、この作品について言及していたことが、デラメアの伝記の中で紹介されています。ある人物が「あの話の子供たちはどこかに巣立っていったんですよね」と大変にポジティブな解釈をしたところ、ぱっと顔色を変えて「あの子たちは死んだのだ」といったとあります。

つまり、デラメアとしては明るい成長物語、巣立ったといった解釈は全否定だった。その解釈だけは許せないという感じだったようです。

なお、この作品は子供のほうが不思議な話をそのまま受け取って、謎は謎として素直に楽しんでいるような気もしています。

【実践翻訳ゼミナール❻】

以下の英文を、色文字（語彙・表現）、下線（翻訳テク／注意！）、網のかかった箇所（翻訳指南）に留意しながら訳してみましょう。

❽ When Ann was gone to bed she used to sit reading her book by candlelight. She drew up her knees under the sheets, resting her book upon them. Her story was about fairies and gnomes, and the gently-flowing moonlight of the narrative seemed to illumine the white pages, and she could hear in fancy fairy voices, so silent was the great many-roomed house, and so mellifluent were the words of the story. Presently she put out her candle, and, with a confused babel of voices close to her ear, and faint swift pictures before her eyes, she fell asleep.

❾ And in the dead of night she arose out of bed in dream, and with eyes wide open yet seeing nothing of reality, moved silently through the vacant house. Past the room where her grandmother was snoring in brief, heavy slumber, she stepped light and surely, and down the wide staircase. And Vega the far-shining stood over against the window above the slate roof. Ann walked in the strange room as if she were being guided by the hand towards the oak chest. There, just as if she was dreaming it was her bed, she laid herself down in the old rose silk, in the fragrant place. But it was so dark in the room that the movement of the lid was indistinguishable.

❻ 翻訳スタート！

sit on the bedは起き上がっている状態

翻訳テク

When Ann was gone to bed she used to sit reading her book by candlelight.：「アンがベッドに入ったとき」のあとがused to sitになってます。「よくしていました」という過去の習慣ですね。この晩もそうしたのでしょうが、前からそういうふうにしていましたという意味合いです。

なおベッドの上でsitしているのは、横にはなっていないということ。枕に背中を載せて、起き上がっている状態です。**sit on the bedというとL字型でいることになります。背中は大きな枕、クッションに預けている感じで**

【宮脇訳】

ベッドに入ると、アンはクッションに背中を預け、ろうそくの明かりで本を読んでいました。シーツにくるまれたまま膝を立て、そこに本を載せていました。それは妖精や地の精が出てくる物語で、お話が静かに流れる月の光になって、白いページを照らすようでした。空想の中で妖精たちの声まで聞こえたのは、部屋数の多いその広い家の沈黙がそれほどまでに深く、物語の詞藻がそれほどまでに甘美だったからです。やがてアンはろうそくを消し、がやがやと混乱したたくさんの声を耳のすぐそばで聞き、ぼんやりした絵が目の前を素早くよぎってゆくのを見つつ、眠りに落ちました。

すっかり夜が更けたころ、アンは夢の中でベッドから起き出し、目は大きく開いていたものの、現世（うつしよ）のことは何も見ないまま、がらんとした家を声もなく歩きまわりました。おばあさんが束の間の深い眠りに寝息を立てている部屋のそばを通り、軽い、確かな足取りで、広い階段を降りていきました。遠く輝く織女星（ベガ）が、石板瓦の屋根の上にある窓の外に立って見下ろしています。アンは、その不思議な部屋に入ると、星の手に導かれるかのように、樫の櫃に近づいていきました。そして、夢の中でそこは自分のベッドだと思っているのか、濃い薔薇色の絹の上、芳しい匂いのする場所に横たわりました。しかし、部屋の中はとても暗く、蓋の動きはしっかりと見定めることができませんでした。

す。「アンはベッドに入るとクッションに背中を預けて、ろうそくの明かりで本を読んでいました」と訳しました。

シーツはベッドに敷いたものだけではない

翻訳テク

She drew up her knees under the sheets, resting her book upon them.：ベッドでの姿勢を詳しく説明しています。正確にはL字型ではなくて、シーツにくるまれたまま膝を立てた姿勢だとあります。under the sheetsで「シーツにくるまれて」という意味です。日本でシーツというのは下だけですが、向こうのベッドのシーツは下も上もシーツです。ちなみに寝ていることをbetween the sheetsと表現します。なお、寒くなると、シーツの上からブランケットをかけます。

resting her book upon themとあるので、立てた膝の上に本を載せています。

語彙・表現

gnomes：地の精霊（ノーム）。最近はゲームのキャラクターなどでノームとカタカナだけで表現されることもあります。ノームにはいろいろな形態があって、「白雪姫と七人のこびとたち」のこびともノーム、ムーミンもノームです。

詩的な表現を訳す

翻訳テク

the gently-flowing moonlight of the narrative seemed to illumine the white pages：デラメアは詩人でもあるので詩的に表現しています。**moonlight ofのofは「〜のような」のof**です。「静かに流れる月の光のようなnarrative（お話）」ということになります。そして光なのでページを照らす（illumine）ということで、「お話が静かに流れる月の光になって、白いページを照らすようでした」と訳しました。

語彙・表現

in fancy：「空想の中で」。空想の中で妖精たちの声が聞こえたわけです。
mellifluent：甘い、甘美な（= mellifluous）

なぜ妖精たちの声が聞こえたのか？

翻訳テク

so silent was the great many-roomed house：妖精たちの声が聞こえたのは、silentだったからです。家の中で人の声がしなかったからですね。ここは「沈黙」でいいと思います。**人が黙ることが沈黙ですね。静寂は物音がしないことなので、意味が違ってしまいます。**「部屋数の多いその広い家の沈黙がそれほどまでに深く」と訳しました。

翻訳テク

and so mellifluent were the words of the story：これも妖精たちの声が聞こえてきた理由です。「物語の言葉がとてもスイートだったから」ということです。**words（言葉）を少し気取って「詞藻」**として、「物語の詞藻がそれほどまでに甘美だったからです」と訳しました。

翻訳テク

with a confused babel of voices close to her ear：眠りに落ちたときのアンの感覚（聴覚と視覚）を描いた場面です。

前半with a confused babel of voices close to her earは直前まで読書をしていて、耳元でまだ（妖精たちの？）声が聞こえているという描写です。「がやがやと混乱したたくさんの声を耳のそばで聞き」と訳しました。

翻訳テク

and faint swift pictures before her eyes：さらに物語の絵もうっすらと見えているということです。「ぼんやりした絵が目の前を素早くよぎっていくのを見つつ」と訳しました。物語の中の声や絵が聞こえたり見えたりする中、眠りに落ちたということですね。

物語の次元がガラリと変化するところに注目

さりげない言葉を見過ごさないように

she arose out of bed in dream：ここの英文は実にさらっと書いてあります。読者の理解力を信用していない作家の場合、in dreamを頭にもってきます。つまり「彼女はずっと夢を見ているんだよ」ということを強調して書くでしょう。

デラメアは読者を信用しているらしくて、さら〜っとin dreamをあとのほうにもってきています。

「夢を見ながら」とも訳せますが、いっそのこと「夢の中で」とはっきり示したほうがいいかもしれません。「アンは夢の中でベッドから起き出し」ですね。

「夢の中でベッドから起き出す」ということは、ここからあとは、夢の中のお話なのです。現実世界と夢の世界が逆転してしまっています。

このブロックから物語の次元ががらっと変わっていきます。すごく面白いところですね。

しかし子供の頃翻訳で読んだときはまったく気がつきませんでした。そのとき読んだ訳が文庫本になっていて確認したんですが、解釈が違っていました。翻訳者がここから夢の世界に入っているということを重視しなかったようです。

翻訳テク

seeing nothing of reality：目を大きく見開いていたけれど、現実は何も見ていない。「現実」というと世間の隙間風が入ってくるような語感でここには合わないので、「現世（うつしよ）」と少し変えて、「目は大きく開けていたものの、現世のことは何も見ないまま」と訳しました。

翻訳テク

moved silently：ここでもsilentが使われています。「黙って」ということです。「声もなく」とするといいと思います。「がらんとした家を声もなく歩き回りました」。

注意!

「静かに」という訳ではダメです。「何もいわないで」「何もしゃべらないで」という意味を入れましょう。

夢の中で、祖母の部屋の前を通り過ぎ……

翻訳テク

Past the room where her grandmother was snoring in brief, heavy slumber：in brief, heavy slumberは「束の間の深い眠り」と訳すとよいでしょう。おばあさんが寝息を立てている部屋の前を通り過ぎています。実際におばあさんの部屋の前を通ったのではなくて、夢の中で通っていったのです。

語彙・表現

stepped light and surely：軽い確かな足取りで

さりげなく書かれたdownの意味にギョッとする

単語一つで物語世界が一変！

down the wide staircase：さらっと書いていますけれど、ここも大変重要なところです。

これまで例の櫃のある部屋に行くには上の階に上って行っていました。ところがここではdown。下に行っているんですね。方向が逆です。

現実の世界では上にありました。しかし夢の世界ではどうやら下にあるらしい……そのことに気がついて、「あれ上がるんじゃなかったっけ？」と思うと不思議な気分になります。

現実のおばあさんの部屋は多分、子供部屋と同じ二階にあると思われます。そして不思議な部屋はその上の階三階にあるので、現実世界では階段を上がっていきます。しかしどうやら櫃のある部屋は夢の世界にも通じていて、夢の世界から行くときは階段を下りていく。そういうことをdownだけで表しています。

それに気がつくとギョッとするところです。**下にあるのは黄泉の世界ですよね。夢の中では、不思議な部屋はあの世にあるのか？　地面の下にあるのか？**という感じです。起きているときには天国を目指すように上がっていくけれど、寝ているときには下に降りていかないといけない。

ここを作者が間違えたのだろうという解釈の翻訳もあります。そのタイプの翻訳者はdownを訳していません。「階段を上っていきました」にしています。

しかし、ここは「降りていきました」とちゃんと訳すべきです。**非常に細かい言葉の選び方で勝負している作家なので、翻訳者は余計な判断はせず、書いてあるとおりに訳していくべき**です。

もちろん訳しながら読解・解釈はしなくてはなりません。

ここを解釈するなら、あの不思議な部屋というのは夢の世界にもつながっていて、夢の中では下の階にあるということです。メビウスの輪のように、ぐるーっと一回転して別の世界に入ってしまうようなところです。

語彙・表現

the window above the slate roof：石瓦屋根の上にある窓。下に降りていっても、スレートの屋根の上に窓があります。**上下が逆転しているのでしょうか。**

Vegaは日本語のイメージをつけずに訳したい

翻訳テク

Vega the far-shining：ここは「遠く輝くベガ」とそのまま訳したいところです。日本語ではVegaは織女星といいますよね。しかし日本語にすると全然別な感じになるのでカタカナ表記がよいと思います。あるいは織女星と書いてベガとルビを振るというところでしょうか。

擬人法は擬人法のまま訳そう

翻訳テク

stood over against the window above the slate roof：ここは擬人法になっています。「星が立って見下ろしていた」という表現です。

「窓の外には星がまたたいていました」ではなくて、「遠く輝くベガが石板瓦の屋根の上にある窓の外に立って見下ろしていました」とはっきり、そのまま訳しましょう。

strangeの意味を吟味する

翻訳テク

the strange room：この物語の最初のほうに出てきたstrangeは「慣れない」という意味でしたが、ここははっきり「変な部屋」ですね。実は以前、読んだときは「知らない部屋」と解釈しました。知らない人のことをstrangerというように。（まだそのときは、「夢の世界とこの部屋がつながっている」ということに気がついていなかったからです。）しかし、今は「不思議な部屋」としか思えなくなりました。みなさんはどうでしょうか。

handは星の手だった

翻訳テク

as if she were being guided by the hand：星（ベガ）のことを擬人化して書いてありましたが、そこことつながっている表現です。つまりこのthe handは「星の手」です。「まるで星の手に導かれるように」と訳しました。

手がthe handになっています。a handが普通の表現だと思いますが、星が導いている、窓の外にあるあの星が手を伸ばして導いている、ということでtheとなったのかもしれません。星の光は部屋の中にも入ってくるので

「星が手を伸ばして」といういい方もできると思います。

この文のまま「その手」とあいまいな訳し方もできますが、意味をとるなら「星の手」になると思います。

原文はthe handですから、本当は「その手」としたいところですが、日本の読者に通じるか、これでわかってもらえるか、という難しい問題があり、ここでは「星」を補いました。こういうところがストレスになって、翻訳家は胃を傷めます。

語彙・表現 as if she was dreaming it was her bed：直訳は「それが自分のベッドだと夢見ているかのように」。

「夢の中でそこを自分のベッドだと思っているように」と訳しました。

翻訳テク it was so dark in the room that the movement of the lid was indistinguishable.：櫃の蓋が閉まります。でも暗かったので、もともと暗いところで蓋が閉まってもよくわからなかったということです。

「部屋の中はとても暗く、蓋の動きはしっかり見定めることはできませんでした」と訳しました。

まとめ 一人になってしまったアンが寝室で本を読みながら眠りにつくシーンから始まります。妖精たちの声が聞こえたり、物語の中の絵が見えたりと幻想的な雰囲気が立ち込めてきます。そして物語の次元ががらっと変わってしまう場面に注意。夢の中でアンは例の不思議な部屋に向かっていきますが、現実世界とは違って階段を降りていくところは翻訳の重要なポイントです。

モダン・ホラーの開祖の一人といえる作家

実はデラメアは「モダン・ホラー」の先駆け的存在です。

デラメアが若かった時代は、ヴィクトリア朝末期で、幻想怪奇小説が流行っていました。デラメアもそういう話が好きで真似して書こうとしたのですが、最初から個性を発揮してしまいます。ありきたりなホラーではなく、わけのわからないコワイものを書いてしまった。

ヴィクトリア朝の幻想怪奇小説は因果関係がはっきりした四谷怪談タイプのホラーでした。それに対してデラメアの怪奇小説は因果関係がはっきり書かれていません。「四谷怪談」でお岩さんがなんで死んだかわからないまま、あの顔でいきなり幽霊として出てきたらさらに怖いですよね。

ちなみにデラメアはいろいろ「見えてしまう人」でもあったようです。彼の孫は出版社をやっていて、祖父の思い出話を書いているのですが、幽霊に会った話などいろいろな不思議な話を聞かされたとあります。

現代のホラー小説、ホラー映画に多大な影響

こうしたデラメアの作風は、現代のホラー作家にも影響を与えています。

ホラー小説にはだいたい二つのタイプがありまして、従来のタイプではお化けの由来がきちんと説明されていました。ロンドン塔に出現する貴婦人の幽霊は、ヘンリー8世に処刑された人物だ、とか。それに対して、ニュー・タイプのホラー小説、とくに短篇では、「わけのわからない恐怖」が効果的に描かれます。ある宿屋に泊まったとき、夜中に牧師の格好をした首の曲がった男が現れて、ベッドのまわりをぐるぐる回っていた。その行動に何の意味があるか不明だし、宿屋との関連もわからない——などという話です。前者をゴシック・ホラー、後者をモダン・ホラーと呼ぶ区分法があり、そのモダン・ホラーの開祖の一人がデラメアと考えることもできます。

ところで、以前は悪魔や吸血鬼が敵役を演じていたアメリカのホラー映画にも、近年ではデラメア・タイプの「説明しない恐怖」を主題にした新しい波が押し寄せています。デヴィッド・ロバート・ミッチェル監督の2014年の作品『イット・フォローズ』（原題カタカナ読みの邦題は勘弁願いたいですが）などがそうですし、そのすぐあとに出てきたアリ・アスター監督の『ヘレディタリー/継承』（2018年）や『ミッドサマー』（2019年）のストーリー・テリング（登場人物がある特定の身ぶりをするんですが、その意味を説明しないんです）にも、デラメア的なものを感じます。

デラメアが亡くなって60年以上たちますが、そのセンスは非常に現代的であったということができます。

『ミッドサマー』
監督：アリ・アスター／
2019年（Blu-ray販売：
TCエンタテイメント）

【実践翻訳ゼミナール❼】

以下の英文を、色文字（語彙・表現）、下線（翻訳テク／注意！）、網のかかった箇所（翻訳指南）に留意しながら訳してみましょう。

❼ Through the long day, the grandmother sat in her bow-window. Her lips were pursed, and she looked with dim, inquisitive scrutiny upon the street where people passed to and fro, and vehicles rolled by. At evening she climbed the stair and stood in the doorway of the large spare bedroom. The ascent had shortened her breath. Her magnifying spectacles rested upon her nose. Leaning her hand on the doorpost she peered in towards the glimmering square of window in the quiet gloom. But she could not see far, because her sight was dim and the light of day feeble. Nor could she detect the faint fragrance, as of autumnal leaves. But in her mind was a tangled skein of memories—laughter and tears, and little children now old-fashioned, and the advent of friends, and long farewells. And gossiping fitfully, inarticulately, with herself, the old lady went down again to her window-seat.

❼ 翻訳スタート！

語彙・表現

bow-window：張り出し窓は弓型をしていて丸いものです。**おばあさんにまつわるイメージは丸いものが多い。**丸いお菓子をあげたり、家から突き出ている半円形の場所に座っていたり、丸い眼鏡をしていたり。最後に、この丸いイメージのおばあさんだけが残ったということになります。

Lips were pursed：唇をすぼめた

英語の形容詞表現は副詞表現で翻訳する場合が多い

翻訳テク

she looked with dim, inquisitive scrutiny upon the street：dimは「ぼんやりしている」、inquisitiveは「物見高い」、scrutinyは「詮索」という意味です。**形容詞を使って表現しています。英語の便利なところです。これを日本語にする場合は副詞に直していかなければなりません。**

【宮脇訳】

長い一日を、おばあさんは朝から晩まで張り出し窓のそばに座っていました。そして、唇をすぼめ、よく見えない目で、詮索の視線を街路に向けて、人が往来したり、乗り物が通り過ぎたりするのを、じっとながめていました。夜になると、階段を上がり、あの誰も使っていない広い寝室の前に立ちました。上に行ったせいで、息が切れています。鼻には拡大眼鏡が載っています。ドアの側柱に片手をつき、部屋をのぞくと、四角い窓が、静かな暗がりの中で、うっすらと光っていました。しかし、おばあさんは目が悪く、日の光も薄れていましたから、それ以上は何も見えませんでした。また、かすかな芳香、秋の木の葉のような匂いにも気がつきませんでした。ただ、おばあさんの心の中では、もつれた糸かせのように、思い出が絡み合っていたのです――笑いと涙、今では時代遅れに見える幼い子ら、友との出会い、永久（とわ）の別れ。そのあと、ぽつりぽつりと、たどたどしい声で、自分を相手に人の噂をしながら、老婦人はまた下に降りて、いつもの張り出し窓に向かいました。

「通りをぼんやりと物見高く詮索していました」という感じです。

前におばあさんは「目が見えなくなっていた」と書いてあるので dim はそのことを表現しているのだと思います。そのことを踏まえ、「ぼんやり」ではなく「よく見えない目で」と訳しました。

この様子はミステリーに出てくる老婦人のようですね。ミス・マープルのように自分の家にずっといて、**外を見ているだけで村の中の動きが全部わかる、把握しているという感じの、イギリスによくいそうなおばあさんのイメージ**です。

語彙・表現

vehicles：**この時代は乗り物の端境期で馬車や自動車やいろいろな乗り物が混ざって走っていた**と思われます。現代の話であれば自動車ですけれど、このときは馬車も含まれていると思うので、「乗り物」としました。

翻訳テク

she climbed the stair：夜になっておばあさんは例の寝室の前まで行きます。現実の世界なのでやはり上の階にあり、階段を上っています。子供がみんないなくなってから初めてその部屋に行くのも、なんだか意味深長ですね。

翻訳テク

The ascent had shortened her breath.：ascentも上に行くことを表す単語です。「上に行ったせいで息が切れています」と訳しました。具体的には階段をのぼったわけですが、「階段」という言葉は使われていません。

語彙・表現

magnifying spectacles：老眼鏡ではなく、「ルーペ、拡大（眼）鏡」。
doorpost：ドアポストとは「ドアの側柱」のことです。
the glimmering square of window：glimmeringはうっすらと光っていること。「四角い窓がうっすらと光って見えた」という表現になっています。また四角が出てきました。

翻訳テク

her sight was dim and the light of day feeble：眼が悪くなっているので（sight was dim）、日の光も弱くしか感じられなくなってきたということを表現しています。

語彙・表現

detect：嗅ぎつける、見つける
the faint fragrance：かすかな芳香

翻訳テク

Nor could she detect the faint fragrance：嗅覚も衰えてきていて「かすかな匂いには気がつかなくなった」とあります。これは「チェストの中の芳香」のことをいっているのでしょう。

語彙・表現

as of：＝as the fragrance of
tangled：もつれた、混乱した
skein：「糸かせ」。糸を束ねてループ状になったもので、真ん中を紐でまとめてあるものを「糸かせ」というそうです。

翻訳テク

in her mind was a tangled skein of memories：目は見えなくなっているし、匂いにも鈍感になっているおばあさんですが、心の中はどうなっているのかが糸かせにたとえられながら表現されています。糸かせは乱雑にまとめるともつれてごちゃごちゃになります。tangledとはそのもつれた状態を指しています。

つまり「もつれた糸かせのように思い出が絡み合っていたのです」となります。

「時代遅れとなった子供たち」とは？

nowなど時間を表す言葉の訳に注意

laughter and tears, and little children now old-fashioned：絡み合った思い出の内容が名詞の羅列で書いてあります。笑いと涙に続くlittle children now old-fashionedとはどういう意味でしょうか？

「昔の服を着た」と訳している本もありましたが、「今ではもう時代遅れとなった」と訳しました。ここはnow（今）という言葉を生かして訳すのがよいと思います。

では「今では時代遅れになった幼い子供たち」とはなんのことをいっているのでしょうか？

消えてしまった子供たちのことでしょうか？　私はこれは記憶の中にある子供だと思いました。つまり「今はこんな格好をしている子供はいないけれど、記憶の中の子供は昔の格好をしている」ということでしょうか。

語彙・表現

advent：出現、到来

farewellは二度と会えないような別れ

翻訳テク

long farewells：**farewellは実際の意味としては「二度と会えない別れ」**のことをいいます。また会う機会があるときの別れの言葉はgood byeです。**long farewellsとなると、死ぬこと**を意味します。ここでは「永久の別れ」と訳しました。

なおクルーズ船では世界一周などした後、最後にパーティーをやって下船するんですが、それをfarewell partyといいます。船の中で何週間か一緒に過ごしたけれど、もともとは他人同士なので、これでお別れしましょうという意味合いがあるように思われます。

語彙・表現

gossiping：噂話をする

fitfully：「痙攣的に、発作的に」。ぽつりぽつりという感じです。なお、身体を痙攣させる発作のことをfitといいます。

inarticulately：たどたどしく

翻訳テク

And gossiping fitfully, inarticulately, with herself：ここでは**老婆らしい行動、しぐさ**が表現されています。「その後、ぽつりぽつりとたどたどしい声で自分を相手に人のうわさをしながら～」という感じです。おばあさんが一人だけになって、でも孫たちがいなくなったことは気にもしていない。忘れてしまったのかもしれません。

謎を残して話は終わる さまざまな想像をかき立てる物語

the old lady went down again to her window-seat.：「老婦人は下に降りていって、いつもの張り出し窓に向かいました」。

子供たちがどこに行ったのかというのは「謎」のまま。答えは見つかりません。結局さまざまな謎について、作者からの答えはありません。

あの櫃はいろいろな人が消えてしまう、異次元への入り口みたいな存在だという解釈もあります。おばあさんは果たして人間なのか？という疑問もわきます。子供たちのお父さんは、果たしてこの家で暮らしたことはあったのか？　おばあさんと息子の関係はどうも疎遠だった感じです。

さまざまな謎を残したまま物語は老婦人が張り出し窓に向かうところで終わります。

まとめ

7人の孫たちが全員、姿を消してしまったあとのおばあさんの姿が描写されます。まるで何もなかったかのように、張り出し窓から外を眺めている老婦人はいったい何者なのか？　子供たちはどうなってしまったのか？　さまざまな謎が残ります。

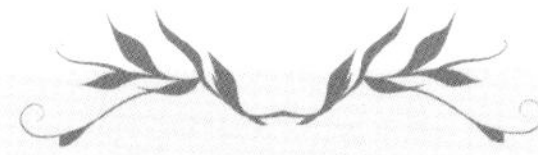

デラメアの手法について
——独特の朦朧法の小説

デラメアのあいまいな手法は「朦朧法の小説」といわれています。彼の大人向きの作品はそうですね。"The Riddle" にしても、物語の前に大変な悲劇があったと想像されますがあいまいに書いています。この作品は短いですが原稿用紙200枚くらいで同じようにあいまいな朦朧法で書いている作品もあります。読解力が試されると思います。

近年大人向け作品も再評価されている

以前のデラメアは詩人、そして児童文学作家としての部分に焦点が当たっていましたが、近年、大人向けに書いた小説が再評価されています。やはり朦朧法で書かれた作品が多いのですが、その中でも特に有名な短篇の一つに "Miss Duveen"（ミス・デュヴィーン）というのがあります。祖母と二人暮らしをする少年が川を隔てた向かいの家の知恵遅れの初老の女性と次第に仲良くなっていく。（余談ですが、デラメアの小説には寂しい子供がいっぱい出てきます。4歳のときに父を亡くしていて、彼の子供時代も寂しかったようです）

女性の話していることが最初は何をいっているかまるでわからないのですが、じっくり読んでいくと次第にわかってくる。そして怖くなります。これも朦朧法で書かれています。ホラーでもなんでもないんですが、会話のひとつひとつに引き込まれていきます。一回読んだくらいではわかりません。状況を見て、コンテクストを考えて読んでいくと、いろいろつながって、だんだん話が通じてくる。デラメアの傑作の一つといわれています。ぜひこうした作品にも挑戦してみてください。

宮脇孝雄（みやわき たかお）

1954年高知県生まれ。
翻訳家。早稲田大学政治経済学部在学中に「ワセダミステリクラブ」に参加。敬愛するミステリ評論家・翻訳家の小鷹信光氏の薫陶を受けつつ翻訳活動を始め、早川書房よりデビュー、今に至る。『死の蔵書』や『異邦人たちの慰め』などエンターテインメントから文学まで多様なジャンルの作品を翻訳。また翻訳に関するエッセイ、料理や英米文学・ミステリに関するエッセイ、評論も多い。現在、（株）日本ユニ・エージェンシーで翻訳教室を開講、専修大学で非常勤講師を務める。

主な著書

『書斎の旅人――イギリス・ミステリ歴史散歩』（早川書房）
『書斎の料理人』（世界文化社）
『翻訳家の書斎』（研究社）
『ペーパーバック探訪』（アルク）
『翻訳の基本』（研究社）
『続・翻訳の基本』（研究社）
『英和翻訳基本辞典』（研究社）
『翻訳地獄へようこそ』（アルク）
『洋書天国へようこそ』（アルク）
『洋書ラビリンスへようこそ』（アルク）

主な翻訳書

『容疑者は雨に消える』『子供たちは森に隠れる』（コリン・ウィルコックス著　文藝春秋）
『ミッドナイト・ミートトレイン』『死都伝説』（クライブ・バーカー著　集英社）
『失われた探険家』『グロテスク』（パトリック・マグラア著　河出書房新社）
『そして殺人の幕が上がる』『誰も批評家を愛せない』（ジェーン・デンティンガー著　東京創元社）
『ストレンジャーズ』（ディーン・R・クーンツ著　文藝春秋）
『イノセント』『異邦人たちの慰め』（イアン・マキューアン著　早川書房）
『死の蔵書』『幻の特装本』（ジョン・ダニング著　早川書房）
『ひとりで歩く女』（ヘレン・マクロイ著　東京創元社）
『文豪ディケンズと倒錯の館』（ウィリアム・J・パーマー著　新潮社）
『ソルトマーシュの殺人』（グラディス・ミッチェル著　国書刊行会）
『英国紳士、エデンへ行く』（マシュー・ニール著　早川書房）
『ジーン・ウルフの記念日の本』（ジーン・ウルフ著　酒井昭伸、柳下毅一郎共訳　国書刊行会）
『指差す標識の事例』（イーアン・ペアーズ著　池央耿、東江一紀、日暮雅通共訳　東京創元社）

宮脇孝雄の実践翻訳ゼミナール

発行日：2022年4月18日（初版）

著者：宮脇 孝雄

編集：株式会社アルク出版編集部
構成・編集協力：原 智子
装丁・カバーイラスト：山口桂子（atelier yamaguchi）
本文イラスト：山口吉郎（atelier yamaguchi）
本文デザイン・DTP：伊東岳美
印刷・製本：シナノ印刷株式会社

発行者：天野智之
発行所：株式会社アルク
〒102-0073　東京都千代田区九段北4-2-6市ヶ谷ビル
Website：https://www.alc.co.jp/

PC: 7022025
ISBN: 978-4-7574-3945-0